Chmel, Joseph

Verzeichniss der auf den Friedländschen Gütern cultivirten Gewächse 1815

Chmel, Joseph

Verzeichniss der auf den Friedländschen Gütern cultivirten Gewächse 1815

Inktank publishing, 2018

www.inktank-publishing.com

ISBN/EAN: 9783750139350

All rights reserved

Vorrede

zur ersten Auflage.

———

Gegenwärtiges Verzeichnifs, dessen Herausgabe ich über mich genommen habe, enthält nicht blofs die Pflanzen, welche im Garten zu Cunersdorf cultivirt werden, sondern sämtlicher Gärten und Anpflanzungen, die sich auf den Gütern der *Frau v. Friedland* finden. Sie sind durch den seltenen Eifer dieser vortrefflichen Frau, die leider zu früh für die Wissenschaften uns entrissen wurde, in den Jahren 1789 — 1803 zusammengebracht. Jedem, dem das Andenken dieser würdigen Frau theuer ist, der die Kräuterkunde und die damit verwandte Wissenschaften liebt, mufs ein vollständiges Verzeichnifs aller vorhandenen Gewächse äufserst angenehm seyn. Es soll aber keinesweges als Handels-Catalog in die Welt treten, sondern als Mittel dienen, den Freunden, die bisher diese Sammlung bereichert haben, den Tausch zu

erleichtern, da man den edelen Zweck beabsichti-
get, den Anlagen der verewigten Stifterin einen,
wo möglich, noch höheren Grad der Vollkommen-
heit zu geben. Die vielen Anfragen und das öftere Abschreiben des Catalogs haben den Druck des-
selben nöthig gemacht.

Ich habe nicht selbst zu jeder Jahreszeit diese
Gärten besuchen können, daher ich die Richtig-
keit der Benennungen nicht durchaus verbürgen
kann. Indessen werden die Freunde der Botanik
viele äusserst interessante Gewächse darin verzeich-
net finden, die wirklich dort vorhanden sind, und
die man in mehreren ähnlichen Gärten und Anlagen vergebens suchen möchte.

Nicht blofs sammlen verschiedener Gewächse
war der Zweck der würdigen Stifterin dieser Anlagen, Sie suchte mit seltenem Eifer für Oekono-
mie und Forstwissenschaft alles zu benutzen, was
unsern Himmelsstrich und die oft rauhen Winter
zu überstehen im Stande ist. Diese Anlagen sind
dadurch besonders merkwürdig geworden:

Dafs alle Grasarten, die eine ökonomische Be-
nutzung erlauben, (wovon die mehresten mi
† bezeichnet sind) in grofser Quantität angebaut und von jeder Sorte eine reichliche
Menge frischer Saamen eingeerndtet sind
wie im 3ten Stücke der Niedersächsische
Annalen vom Jahre 1799 mit Mehrerem an
geführt ist. Diese Grascultur wird noch jähr
lich fortgesetzt, und vielleicht werden i
einem der nächsten Stücke der genannte
Annalen die Listen der Grassamenerndte
und das fernere Verfahren mit diesen Ge
wächsen vom Jahre 1799 — 1803 bekani
gemacht. (*)

────────────

(*) Dieses ist geschehen in dem December-Stück der Annalen (
Ackerbaues von 1805.

Daſs diejenige Bäume, welche mit * * bezeichnet sich finden, theils aus Samen, theils
aus Schnittholz in Plantagen von ansehnli-
chem Umfange angezogen, mit groſser Sorg-
falt angepflanzt und aus diesen Plantagen in
regelmäſsige Elsen-Schlagholzungen vertheilt
sind, die einen vorzüglichen Grad von Schön-
heit erlangt haben. Mit vielen Bäumen der
genannten Plantagen hat man die umliegen-
den Gegenden verschönert.

Dahingegen sind die gewöhnlichen mit †† be-
zeichneten Lustgebüsch-Pflanzen nicht in
der zum Verkauf nothwendigen Menge plan-
tagenmäſsig angezogen, sondern in den Gärten vertheilt, oder wo sie sich stark ver-
mehrt haben, in die wilden Anpflanzungen
zerstreut angebaut, woraus für einzelne Freunde zum Tausch einige Exemplare herausge-
hoben werden können.

Endlich daſs die Nadelhölzer und Bäume, welche mit ††† bezeichnet im Catalog stehen,
in Anlagen von sehr bedeutendem Umfange
angepflanzt sind. Sie finden sich auf groſsen
bergigen Strecken vertheilt, bedecken alle
Anhöhen, Vertiefungen und dazwischen lie-
gende Thäler, so daſs diese durch die gar-
tenmäſsige Bepflanzung mit einheimischen
und ausländischen Bäumen und Straucharten,
die man in buntem Gewühl durch einander
antrifft, deren Gedeien mit der oft nicht
ganz passenden Lage auf Märkischem Boden,
in einem angenehmen Contrast steht, dem
Ganzen ein sehr reizendes und fröhliches
Ansehn geben.

Durch diese Hauptmomente ist die Sammlung
von Gewächsen merkwürdig, und ob es gleich un-
verkennbar ist, daſs die vortreffliche Stifterin aller
dieser Anlagen ihren Geschmack in *Dessau*, *Harb-*
ke und *Herrenhausen* gebildet hat; so hat doch

ihr grofser, schöpferischer Geist hier etwas Eigenthümliches ausgeführt, was man jetzo zu erhalten bemühet ist, und das Ihr Andenken noch den spätern Nachkommen achtungswerth machen wird.

Wer etwas zur ferneren Unterhaltung dieser Anlagen durch Tausch beizutragen wünscht, wendet seine Anfragen und Aufträge, an den Gärtner *Walter* zu *Cunersdorf* bei *Wrietzen* an der *Oder*, der diese stets beantworten wird, den Catalog aufgesetzt hat, und jährlich die fernere Fortsetzung besorgt.

Berlin, den 29. December 1803.

C. L. Willdenow.

Vorrede

zur dritten Auflage.

Zu der im Frühjahr 1804 ausgegebenen 1ten Auflage dieses Verzeichnisses, erschien 1805 ein Bogen Nachtrag. Und als der Bedarf es nöthig machte, 1806 eine zweite Auflage, mit dem Versprechen, fernere Nachträge jährlich und so bald als möglich ein belehrendes Verzeicheils (Catalogue raisonné) zu liefern. Man dachte dabei an Du Roi Harbkische, an Willdenow Berlinische Baumzucht, den Hortus Kewensis und hatte schon die Idee, die Verbindungen zu erwähnen, worin diese Sammlung mit dem übrigen Betrieb dieser Güter steht. — Die denkwürdigen Jahre 1806 — 1814 unterbrachen alles dieses. Die hiesige Gegend blieb zwar von den eigentlichen Verheerungen des Krieges verschont aber alle methodischen Erpressungen, Lasten und Qualen, trafen solche vorzüglich, bis die redlich und gern auch hier geleisteten Anstrengungen des Jahres 1813, eine bessere Zeit herbei führten. An Arbeiten, an Erweitern, konnte in diesen 8 Jahren nicht gedacht werden, fürs Erhalten das Mögliche zu thun, war der einzige richtige Gesichtspunkt.

Mit in diesem lege ich jetzt die 3te ganz umgearbeitete Auflage dieses Verzeichnisses vor. In der Vorrede zur ersten Auflage, hat der unvergessliche *Willdenow* alles, was die Pflanzen-Sammlung auf den hiesigen Gütern betrift, so schön und treffend gesagt, dafs sie als ein dauerndes Denkmal seiner Theilnahme auch dieser Auflage vorgedruckt ist. Jenem Versprechen in der 2ten Auflage kann jetzt nicht genüge geschehen, aber da in den mehresten Verzeichnissen von Pflanzen-Sammlungen botanischer und anderer Gärten, man gewöhnlich eine Menge wildwachsender Pflanzen aufgezählt findet, die oft nicht alle im Garten selbst, sondern zum Theil nur in dessen Nachbarschaft zu finden sind; so habe ich geglaubt dafs es zweckmäfsiger für die Floren einzelner Oerter, Gegenden, Provinzen, und selbst für die Wissenschaft sey, die wildwachsenden Pflanzen welche im Garten selbst, und dessen Umgebungen vorkommen, statt sie durch ein blosses Zeichen kenntlich zu machen, ganz besonders aufzuführen und wage bei Gelegenheit dieser neuen Auflage einen Versuch dieser Art. Ich bin dazu zum Theil durch die schätzbaren Beiträge im Stand gesetzt, die mein geehrter, für die Wissenschaften und besonders deren Bearbeitung in dieser Gegend, viel zu früh verstorbener Freund *Crome*, in *Hoppens* botanischem Taschenbuche Jahrgang 1809. 1810 und 1811 mit genauer Bezeichnung der Standörter, geliefert hat. Die von ihm nur allein, nicht von mir selbst bemerkten Pflanzen, habe ich mit *Crom.* bezeichnet.

Da einige Pflanzen aus der *Cryptogamie* unter den cultivirten vorkommen, *Crome* auch mehrere in oben benanntem Taschenbuche als Beiträge für die Flora der Mittelmark aufgeführt hat, so habe ich die wenigen mir bekannten unter den wildwachsenden, mit aufgezählt, und bemerke zu meinem Leidwesen, dafs ich in dieser Classe wenig oder gar nicht bewandert bin. Aber auch das Verzeichnifs der wildwachsenden *Phänogamen* ist keinesweges als vollständig zu betrachten; es ist gewiſs noch manche Pflanze nachzutragen. Auch dürfte sehr viel in den Beschreibungen unserer wildwachsenden deutschen Pflanzen zu verbessern, zu vergleichen und zu berichtigen seyn; dieses habe ich oft gefühlt, und glaube bemerkt zu haben daſs den deutschen Pflanzen welche wir täglich mit Füssen treten, viel weniger Ehre erzeigt wird, als oft dem unbedeutendsten Fremdling geschieht, die öftere Taufe ausgenommen, welche viele deutsche Pflanzenkinder sehr reichlich bekommen haben; da mir jedoch manche Hülfsmittel zu Gebote standen, so glaube ich mir schmeichlen zu dürfen, daſs die angeführten Pflanzen ziemlich richtig bestimmt sind; Sollten jedoch sich einige Unrichtigkeiten finden, so bitte ich sie einem Layen in der Kräuterkunde etwas zu gut zu rechnen und gefälligst zu belehren, welches ich mit vielem Dank erkennen werde.

Zu den Bestimmungen der wildwachsenden Phänogamen habe ich *Kunth flora berolinensis* benutzt; weil aber das Ganze dieser 3ten Auflage nach *Willdenow Enumeratio plantarum Hort. Berol.* angefertigt ist, so habe ich vorzüglich dessen Benennungen beibehalten, und mir daher ein paar kleine Abänderungen erlaubt: z. B. *Artemisia Absinthium*, nennt *Kunth Absinthium vulgare* u. a. Diejenigen Pflanzen, welche *Kunth* in seiner *flor. berol.* nicht angezeigt hat, habe ich in den Anmerkungen nachgewiesen. Sollte dieser kleine Beytrag zu einer Flora der Mittelmark Beyfall finden, so werde ich mich befleiſsigen einen Nachtrag zu sammlen und bey einer andern Gelegenheit mitzutheilen.

An diesem allen hat Herr Adelbert von Chamisso, der mit mir im Sommer 13 und 14 fleiſsig botanisierte, einen freundlichen Antheil genommen und dessen *Adnotationes* zur flora von Berlin welche zugleich erscheinen, enthalten alles übrige was hieher gehören könnte.

An einigen Stellen habe ich etliche Anmerkungen hinzu gefügt, die sich theils selbt erklären, theils in den Zusammenhang der hiesigen Verhältnisse eingreifen. Andere Ideen, Vorarbeiten und Beobachtungen, werden hier noch übergangen, bis sie gereift und gehörig verarbeitet werden können.

In der Ueberzeugung, daſs dieses Verzeichniſs vielen Freunden der Kräuterkunde zu Gesicht kommen wird, kann ich einen Wunsch, den ich schon lange gehegt, nicht unterdrücken; der zwar eigentlich nicht hierher gehört, doch wohl nicht ganz am unrechten Orte steht: Schon lange habe ich (und gewiſs mehrere Pflanzenfreunde mit mir) einen guten, brauchbaren *Nomenclator botanicus* vermiſst, der mit der Zeit fortgeschritten wäre.

Ein solcher Nomenclator, wie ich ihn wünsche, müſste aber nicht bloſs nach *einem* botanischen Werke bearbeitet sein, sondern so viel wie möglich *alles* Neueste, was bis jetzt bekannt geworden, enthalten; und zwar ganz in der Art und Form wie *E. A. Raeuschel, Nomenclator botanicus. Edit. tert. Leipz. b. Feind* 1797. Vaterland und Dauer der Pflanze, wenn solches bekannt, dürften durchaus nicht fehlen; auch wünschte ich mehrere wichtige Nahmen-Veränderungen darinn bemerkt zu finden, z. B. auf die Art wie *Raeuschel* solche unter *Satyrium, Pinus, Populus* u. a. m. angebracht; Dieses scheint mir besonders nöthig, weil in den neuern Zeiten so viele Nahmen-Veränderungen vorgefallen sind; jedoch müſste eine sorgfältige Auswahl derselben getroffen werden, damit das Buch nicht zu stark würde, sondern alles in einem grossen octav Bande Platz hätte: Gutes Papier, etwas kleinere Schrift wie bey *Raeuschel*, und die Anmerkungen ganz klein gedruckt, würden dieses möglich machen.

Ein solches Handbuch finde ich sehr brauchbar; wenn auch nicht für den gelehrten Botaniker, dem eine Bibliothek zu Gebote steht; doch vorzüglich für den nicht gelehrten und blofsen Pflanzenfreund, so wie für jeden Gärtner. Für erstern kann es als Catalog zum Herbarium oder Samensammlung dienen. Dem Gärtner, welcher sich in den meisten Fällen, nicht viele Bücher anschaffen kann, oder auf seinen Reisen fortzubringen im Stande ist, der wenig botanische Kenntnifs besitzt, mit fremden Saamen und Pflanzen oft zu thun bekommt, und ich mögte sagen, am meisten damit zu thun hat, ist ein solches Handbuch ganz unentbehrlich: Erhält er z. B. Saamen mit botanischen Benennungen von Pflanzen, die ihm nicht bekannt sind, so kann er in seinem Handbuche nachschlagen, wo ihr Vaterland, ob es eine jährige oder eine perennirende Pflanze ist, seine Behandlung darnach einrichten, und in der Cultur fremder Gewächse weit glücklicher sein, als er ohne diese geringe Belehrung gewesen wäre; ein mehreres anzuführen halte ich für überflüssig, kann aber aus Erfahrung versichern, dafs mir *Raeuschel's Nomenclator* sehr nützlich gewesen ist.

Aus diesen Gründen müfste in einem solchen Handbuche aufser Vaterland und Dauer der Pflanzen, auch der natürlichen Standort derselben (so weit solcher nehmlich bekannt ist) angezeigt werden. z. B. ob sie diesen von der Natur in *Sand, Torf, Sumpf* u. s. w. erhalten haben; alles dieses braucht nicht wörtlich, sondern durch zweckmäfsig gewählte Zeichen geschehen, damit das Buch deshalb um nichts verstärkt, sondern nur verbessert würde. Auch für botanische Gärten würde ein solcher *Nomenclator* als systematisches Register nützlich sein. Die *Cryptogamie* wünschte ich aber in diesem Handbuche nicht zu vermissen, wenn sie auch gleich dem Gärtner nicht viel nützt, so würden solche doch andere Freunde dieser Classe ungern entbehren; Sollte bey der Menge (seit 1797 wo *Raeuschel's Nomenclator* erschienen), neu hinzugekommener Pflanzen dieses Handbuch zu stark ausfallen, so würde ich vorschlagen daſs diese Pflanzen-Classe, ein zweites Bändchen ausmachte.

Cunersdorf bey Wrietzen a. d. Oder, den 26. Februar 1815.

F. Walter-

Wildwachsende Pflanzen.

Cultivirte Pflanzen.

A.

A

ABROMA augustum. ♄.
ACACIA farnesiana. ♄.
floribunda. ♄.
glauca ♄.
ACAENA adscendens. ♃.
ACANTHUS mollis. ♃.
spinosus. ♃.
ACER campestre ♄.
††† dasycarpum. ♄.
monspessulanum. ♄.
montanum. ♄
†† Negundo. ♄.
Opalus. ♄.
pensylvanicum. ♄.
†† platanoides. ♄.
β. laciniatum.
†† Pseudo-platanus. ♄.
fol. variegat.
††† saccharinum. ♄.
†† tataricum. ♄.

ACHILLEA Millefolium. ♃.   ACHILLEA aurea. ♃.
Ptarmica, ♃.   Euputarium. ♃.
magna. ♃.
Millefolium flor.
rubr. ♃.
ACHYRANTHES aspera. ♄.
porrigens. ♄.
ACONITUM Cammarum. ♃.
Lyco onum. ♃.
variegatum. ♃.
A

ACORUS Calamus. 2[.
ACTAEA spicata 2[*Crom* (1)   ACTAEA racemosa. 2[.
                                ADIANTUM Capillus Ve-
                                    neris. 2[.
                                ADONIS autumnalis, ⊙.
                                    vernalis. 2[.
ADOXA Moschatellina. 2[.   ADOXA Meschatellina. 2[.
                                AEGILOPS ovata. ⊙. ⋆
AEGOPODIUM Podagra-   AEGOPODiUM Podagra-
    ria. 2[.   ria. 2[.
                                AESCULUS flava. ♄.
    ⋆   glabra. ♄.
                                    Hippocastanum. ♄.
                                    pallida. ♄.
                                    Pavia. ♄. (2)

AETHUSA Cynapium. ⊙.
                                AGAPANTHUS umbella-
                                    tus. 2[.
                                AGAVE americana. 2[.
                                    fol. variegat.
                                AGERATUM conyzoides ⊙ ⋆
AGRIMONIA Eupatoria. 2[.   AGRIMONIA Eupatoria. 2[.
                                    repens. 2[.
AGROSTEMMA Githago. ⊙.   AGROSTEMMA corona-
                                    ria. ♂.
AGROSTIS alba. 2[.   AGROSTIS filiformis. 2[
    Spica venti. ⊙.   mexiana. 2[.
    vulgaris. 2[.   panicea. ⊙. ⋆
AIRA aquatica. 2[.
    canescens. 2[.
    caryophyllea. ⊙.
    cespitosa. 2[.
    cristata. 2[.
    glauca. 2[.
AJUGA genevensis. 2[.   AJUGA reptans. 2[.
    reptans. ? .
ALCHEMILLA Aphanes. ⊙.   ALCHEMILLA montana. 2[.
                                    vulgaris. 2[.
ALISMA Plantago. 2[.

---

(1) Diese Pflanze ist nicht in *Kunth flor. Berolinensis.*

(2) Siehe *Wild. Enum. pl. hort. Berol* Seite 404 wo diese hier befind-

ALLIUM angulosum. ☉.   ALLIUM acutangulum. ♃.
   carinatum. ♃.   ascalonicum. ♃.
   vineale. ♃.   Cepa. ♃.
   Sphaerocephalon. ♃   descendens. ♃.
      Crom. (1)   fistulosum. ♃.
         nigrum. ♃.
         nutans ♃.
         obliquum. ♃.
         odorum. ♃.
         Porrum. ♃.
         sativum. ♃.
         Schoenoprasum. ♃.
         senescens. ♃.
         sibiricum ♃.

ALNUS glutinosa. ♄.   ALNUS glutinosa. ♄.
             laciniata. ♄.
     †† incana. ♄.
       serrulata. ♄.
    ALOE arborea. ♄.
      Lingua. ♄.
      picta. ♄.
      variegata. ♄.
      verruscosa. ♄.

ALOPECURUS genicula-   ALOPECURUS pratensis. ♃.
   tus. ♃.
   pratensis. ♃. (2)
ALSINE media. ☉.

    ALSTROEMERIA Pelegri-
       na. ♃.
ALTHAEA officinalis. ♃.   ALTHAEA narbonensis. ♃.
      officinalis. ♃.
      rosea. ♂. ♃.
ALYSSUM calycinum. ☉.   ALYSSUM maritimum ♄.
   incanum. ♃.   sativum. ☉.
   paniculatum. ☉.   sinuatum. ♃. *
   sativum. ☉.
AMARANTHUS Blitum. ☉.   AMARANTHUS cauda-
   retroflexus. ☉.   tus. ☉. *

---

liche und in der 1. Aufl. dieses Verzeichnisses aufgeführten Arten,
beschrieben sind.

(1) Siehe die vorstehende Vorrede zur 1ten Auflage.
                   A 2

Wildwachs. Pflanzen.	Cultivirte Pflanzen.
	AMARANTHUS chlorosta- chys. ⊙. ⁎
	flavus. ⊙. ⁎
	graecizans. ⊙. ★
	hybridus. ⊙. ⁎
	hypochondria- cus. ⊙. ★
	laetus. ⊙. ⁎
	lividus. ⊙. ⁎
	oleraceus. ⊙. ★
	parisiensis. ⊙. ⁎
	polygonoides. ⊙. ★
	retroflexus. ⊙. ★
	sanguineus. ⊙. ★
	scandens. ⊙. ⁎
	strictus. ⊙. ⁎
	viridis. ⊙. ★
	AMARYLLIS formosissima ♃
	vittata. ♃.
	AMETHYSTEA coeru- lea. ⊙. ★
	†† AMORPHA fruticosa. ♄.
	AMYGDALUS communis. ♄.
	†† nana. ♄.
	Persica. ♄.
	pumila flor. pl. ♄.
ANAGALLIS arvensis. ⊙.	ANAGALLIS fruticosa. ♄.
	latifolia. ⊙. ★
	ANASTATICA hierochunti- ca. ⊙. ★
ANCHUSA officinalis. ♃.	ANCHUSA sempervirens. ♂.
	ANDROSACE elongata. ⊙.
	lactiflora. ♃.
	maxima. ⊙.
ANEMONE sylvestris. ♃.	ANEMONE ranunculoides. ♃.
	sylvestris. ♃.
	virginiana. ♃.
	ANETHUM graveolens. ⊙.
ANGELICA sylvestris. ♃.	ANGELICA Archangelica. ♂.
ANTHEMIS arvensis. ⊙.	ANTHEMIS altissima. ⊙. ★
Cotula. ⊙.	arabica. ⊙. ★
tinctoria. ⊙.	artemisiaefolia. ♃.
	Cota. ⊙. ⁎
	mixta. ⊙. ★

Wildwachs. Pflanzen.	Cultivirte Pflanzen.
	ANTHEMIS nobilis. ♃.
	rigescens. ♃. *
	trilobata. ♃.
ANTHERICUM Liliago. ♃.	ANTHERICUM Liliago. ♃.
ramosum ♃.	ramosum, ♃.
ANTHOXANTHUM odora-	† ANTHOXANTHUM odo-
tum. ♃.	ratum. ♃.
ANTHYLLIS Vulneraria. ♃.	ANTHYLLIS Barba jovis. ♄.
	Hermanniae. ♄.
	ANTIRRHINUM majus. ♂. ♃
•	Orontium. ☉.
	ANYGOZANTHES flavi-
	da. ♃.
APARGIA autumnalis. ♃.	
hispida. ♃.	
	APICRA arachnoides. ♄.
	atrovirens. ♄.
	margaritifera. ♄.
	retusa. ♄.
	APIUM graveolens. ♂.
	Petroselinum. ♂.
	APOCYNUM hypericifo-
	lium. ♃.
	AQUILEGIA canadensis. ♃.
	viridiflora. ♃.
	vulgaris. ♃.
ARABIS thaliana. ☉.	ARABIS caucasica. ♃.
ARCTIUM Bardana. ♂.	
Lappa. ♂.	
	ARCTOTIS aspera. ♄.
	elatior. ♄.
	hypochondriaca. ☉. *
	rosea. ♄.
ARENARIA rubra. ☉.	
serpillifolia. ☉.	
trinervia. ☉.	
	ARISTOLOCHIA Clemati-
	tis. ♃.
	†† Sipho. ♄.
ARMERIA vulgaris. ♃.	ARMERIA denticulata. ♃.
	fasciculata. ♄.
	plantaginea. ♃.
	scorzonerae folia. ♃.
	vulgaris. ♃.

ARTEMISIA Absinthium. ♃.
    campestris. ♃.
    vulgaris. ♃.

ARTEMISIA Abrotanum. ♃.
    Absinthium. ♃.
    afra. ♄.
    arborescens. ♄.
    Dracunculus. ♃.
    maritima. ♃.
    neglecta. ♃.
    palmata. ♄.
    procera. ♄.
    pontica. ♃.

ARUM divaricatum. ♃.
    triphyllum. ♃.

ARUNDO epigejos. ♃.
    Phragmites. ♃.

ARUNDO Calamagostris. ♃.

ASARUM europaeum. ♃.

ASCLEPIAS Vincetoxi-
    cum. ♃.

ASCLEPIAS curassavica. ♄.
    frusticosa. ♄.
    incarnata. ♃.
    syriaca. ♃.
    Vincetoxicum ♃.

ASPARAGUS officinalis. ♃.
ASPERUGO procumbens. ☉.

ASPARAGUS officinalis. ♃.
ASPERUGO procumbens. ☉.
ASPERULA. taurina. ♃.
ASPHODELUS fistulosus ♃.

ASPIDIUM fragile. ♃.
    Felix femina ♃.
    Felix mas ♃.
    spinulosum. ♃.
    Thelypteris ♃.

ASPIDIUM Filix-mas. ♃.
    fragile. ♃.

ASPLENIUM Trichoma-
    nes. ♃.

ASPLENIUM Ruta-mura-
    ria ♃.
ASPRELLA Hystrix. ♂. ♃.
ASTER Amellus. ♃.
    annuus. ☉.
    chinensis. ☉. *
    corymbosus. ♃.
    divergens. ♃.
    flexuosus. ♃.
    fragilis. ♃.
    hyssopifolius. ♃.
    laevigatus. ♃.
    macrophyllus. ♃.
    multiflorus. ♃.
    mutabilis. ♃.

	ASTER novae angliae. ♃.
	novi belgii. ♃.
	paniculatus. ♃.
	puniceus. ♃.
	salignus. ♃.
	serotinus. ♃.'
	sibiricus ♃.
	spurius. ♃.
	tardiflorus ♃.
	tenellus. ⊙. *
	versicolor. ♃.
ASTRAGALUS arenarius. ♃.	ASTRAGALUS asper. ♃.
glycyphyllos. ♃.	baeticus. ⊙. *
pilosus. ♃. *Crom.* (1)	Cicer. ♃.
	galegiformis. ♃.
	sulcatus. ♃.
	virescens. ♃.
	ASTRANTIA major. ♃.
ATHAMANTA Cervaria. ♃.	
Oreoselinum. ♃.	
ATRIPLEX angustifolia. ⊙.	ATRIPLEX hortensis. ⊙.
patula. ⊙.	rubra.
rosea. ⊙.	nitens. ⊙.
	portulacoides. ♄.
	ATROPA Belladonna. ♂. ♃.
	AUCUBA japonica.
	AVENA brevis. ⊙. *
	fatua. ⊙. *
	fragilis. ⊙. *
	flavescens. ♃.
	orientalis. ⊙. *
	pratensis. ♃. *
	pubescens. ♃. *
	sativa. ⊙. *
	fusca.
	sterilis. ⊙. *

B

B

BACCHARIS ivaefolia. ♄.

BALLOTA nigra.   .

(1) Diese Pflanze steht nicht in *Kunth flor. berol.*

BALSAMITA flabelli for-
mis. ♄.
vulgaris. ♃.

BARTRAMIA crispa.
Crom. (1)
marchica. Crom.

BASELLA alba. ☉. ♂.
rubra. ☉ ♂.
BECKMANNIA erucaefor-
mis. ♂. *
BEGONIA nitida. ♄.

BELLIS perennis. ♃.

††BERBERIS emarginata. ♄.
†† sibirica. ♄.
†† vulgaris. ♄.
BETA maritima. ☉. *
vulgaris. ♂.
BETONICA hirsuta. ♃.
orientalis. ♃.
BETULA alba. ♄.   ††BETULA alba. ♄.
excelsa. ♄.
fruticosa. ♄.
lenta. ♄.
nana. ♄.
††papyracea. ♄.
BIDENS cernua. ☉.   BIDENS chinensis. ☉. *
tripartita. ☉.   frondosa. ☉. *
grandiflora. ☉. *
leucantha. ☉. *
pilosa. ☉. *
BIGNONIA Catalpa. ♄.
radicans. ♄.
BISCUTELLA auricula-
ta. ☉. *

BLASIA pusilla. Crom.

BLITUM capitatum. ☉.
virgatum. ☉.
BOERHAAVIA scandens. ♄.

---

(1) Mit diesen kleinen Kindern Florens habe ich wenig Bekannt-
schaft und führe daher nur diejenigen *Moose* und *Flechten* mit
auf welche *Crome* im angeführten Werke angemerkt.

Wildwachs. Pflanzen.	Cultivirte Pflanzen.
	BORAGO officinalis. ☉.
	BOSEA Yervamora. ♄
BOTRYCHIUM Lunaria. ♃	
BRASSICA Napus. ♂.	BRASSICA chinensis. ☉. *
	Erucastrum. ☉. *
	Napus, ♂. (1)
	oleracea. ♂.
	orientalis. ☉. *
	Rapa. ♂.
BRIZA media. ♃	BRIZA maxima. ☉. *
	virens. ☉. *
	BROMELIA Ananas. ♄
BROMUS commutatus. ♂.	† BROMUS commutatus ⚥. *
giganteus. ♃	† giganteus. ♃. *
inermis. ♃	† inermis. ♃. *
mollis. ♂.	lanceolatus. ☉. *
secalinus. ☉.	pendulinus. ☉. *
tectorum. ☉.	† purgans ♃. *
	† rectus. ♃. *
	rubens. ☉. *
	BROUSSONETIA papyrife-
	ra. ♄
	BROWALLIA demissa. ☉. *
BRYONIA alba. ♃	BRYONIA alba. ♃.
BRYUM androgy- ⎫	
num. ⎪	
crudum. ⎪	
fontanum ⎬*Crom.*	
palustre. ⎪	
squaro- ⎪	
sum, ⎭	
	BUBON hochtormense. ♂.
	Galbanum ♄
	glaucum ♃.
	BUDDLEJA globosa. ♄
	saligna. ♄
	salvifolia. ♄
	BULBINE longiscapa. ♄

(1) Siehe meine Bemerkungen über Rübsen (Rübsamen) und Raps im allgemeinen teutschen Garten-Magazin 6ter Jahrgang 1809. Seite 246.

BUNIAS balearica. ☉. *
Erucago. ☉. *
orientalis. ♂.
BUPHTHALMUM cordifo-
lium 2[.
helianthoides. 2[.
salicifolium. 2[.
BUPLEURUM rotundifoli-
um. ☉. *

BUTOMUS umbellatus. 2[.
Fl. alb.
BUXBAUMIA aphylla.
Crom.

BUXUS balearica. ♄.
sempervirens. ♄.

C

C

CACALIA Anteuphor-
bium. ♄.
articulata. ♄.
cylindrica. ♄.
repens. ♄.
sagittata. ☉. *
saracenica. 2[.
suaveolens. 2[.
CACTUS coccinellifer. ♄.
currassavicus ♄.
cylindricus. ♄.
flagelliformis. ♄.
grandiflorus. ♄.
hexagonus. ♄.
mammillaris. ♄.
Opuntia. ♄.
pendulus. ♄.
Pereskia. ♄.
spinosissimus. ♄.
triangularis. ♄.
CALADIUM auritum. ♄.
sagittifolium. 2[.
seguinum. ♄.

Wildwachs. Pflanzen.	Cultivirte Pflanzen.
	CALDASIA heterophylla. ♄*
	CALENDULA arvensis. ☉. *
	denticulata. ♄.
	fruticosa. ♄.
	hybrida. ☉. *
	officinalis. ☉. *
	stellata. ☉. *
CALLA palustsis. ♃.	CALLA aethiopica' ♃.
CALLITRICHE autumna-lis. ♃.	
verna. ♃.	
CALLUNA vulgaris. ♄.	
CALTHA palustris. ♃.	
	†† CALYCANTHUS flori-dus. ♄.
	glaucus. ♄.
	laevigatus. ♄,
CAMPANULA glomerata. ♃.	CAMPANULA aurea. ♄.
patula ♂.	divergens. ♂.
persicifolia. ♃.	hybrida. ☉. *
Rapunculus. ♃.	Medium. ♂.
Rapunculoides. ♃.	persicifolia fl. pl. ♃.
rotundifolia. ♃.	pyramidalis. ♂.
Trachelium. ♃.	Speculum. ☉. *
	Trachelium. ♃.
	CAMPHOROSMA monspe-liense. ♄.
	CANNA rubra. ♃.
	variabilis. ♃.
CANNABIS sativa. ☉.	CANNABIS sativa. ☉.
	CAPPARIS ovata. ♄.
	CAPRARIA biflora. ♄.
	lucida. ♂.
	CAPSICUM annuum. ☉.
	frutescens. ♄.
CARDAMINE amara. ♃.	
pratensis. ♃.	
	CARDIOSPERMUM Halica-cabum. ☉.
CARDUUS crispus. ☉.	CARDUUS arabicus. ☉. *
nutans. ♂.	argentatus. ☉. *
	marianus. ☉.
	pycnocephalus. ☉. *
CAREX acuta. ♃.	CAREX collina. ♃.

CAREX ampullacea. ♃.
    caespitosa. ♃.
    distans. ♃.
    flava. ♃.
    hirta. ♃.
    intermedia. ♃.
    muricata. ♃.
    ovalis. ♃. ♃.
    panicea. ♃.
    paniculata. ♃.
    pilulifera. ♃.
    praecox. ♃.
    Pseudo-Cyperus. ♃.
    recurva. ♃.
    remota. ♃.
    riparia. ♃.
    Schreberi. ♃.
    stellulata. ♃.
    stricta. ♃. (I)
    vesicaria. ♃.
    vulpina. ♃.

CARLINA vulgaris. ♂.

CARPINUS Betulus. ♄.

CAUCALIS Anthriscus. ☉.

CENTAUREA Cyanus. ☉.

    Jacea. ♃.

CARICA Papaya. ♄.

CARPESIUM cernuum. ♂.
CARPINUS Betulus. ♄.
CARUM Carvi. . ✲
CASSIA marylandica. ♃.
CASTANEA vesca. ♄
CAUCALIS nodosa. ☉. ✲
    platycarpos ☉. ★
CEANOTHUS africanus. ♄.
    americanus. ♄.
†† CELASTRUS scandens. ♄.
CELOSIA cristata. ☉. ★
    margaritacea. ☾. ✲
    trigyna. ☉. ✲
†† CELTIS occidentalis. ♄.
CENTAUREA Cyanus. ☉
    Crupina. ☉. ✲

Diese Pflanze steht nicht in *Kunth flor. berol.*

CENTAUREA paniculata. ♂.
    Scabiosa. ♃.

CENTAUREA Cyanus. ☉.
    elongata. ♃. *
    eriophora. ☉. *
    ferox. ♃.
    glastifolia. ♃.
    Jacea. ♃.
    Lippii. ☉. *
    m litensis. ☉. *
    moschata. ☉.
    muricata. ☉. *
    orientalis. ♃.
    pullata. ☉. *
    ragusina. ♃.
    sempervirens. ♄. *
    spinosa ♄. *.

CEPHALANTHUS occiden-
    talis. ♄.

CERASTIUM aquaticum. ♃.
    arvense. ♃.
    semidecandrum. ☉.
    viscosum· ☉.
    vulgatum. ☉.

CERASTIUM perfolia-
    tum. ☉. *

CERATOPHYLLUM demer-
    sum. ♃. *Crom.*

CERATONIA Siliqua. ♄.

CERCIS canadensis. ♄.
CERINTHE major. ☉. *
CESTRUM foetidissimum. ♄.
    hi·sutum. ♄.
    Parqui. ♄.
    salicifolium. ♄.

CHAEROPHYLLUM bulbo-
    sum. ♂. (1)
    sylvestre. ♃.
    temulum. ♂.

CHAEROPHYLLum au-
    reum ·♃.
    bulbosum. ♂.
    sylvestre. ♃.
CHEIRANTHUS annuus. ☉.
    Cheiri. ♂.
    fruticulosus. ♄.
    incanus. ♄.

(1) Steht nicht in *Kunth flor. berol.*

CHELIDODIUM majus. ♂. ♃

CHENOPODIUM album. ☉.
Bonus Henricus. ♃.
glaucum. ☉.
hybridum. ☉.
murale ☉.
polyspermum. ☉.
rubrum. ☉.
urbicum. ☉.
Vulvaria. ☉.

CHONDRILLA juncea. ♂.
CHRYSANTHEMUM Leu-
canthemum. ♃.
CHRYSOCOMA Linosy-
ris. ♃. Crom. (1)
CHRYSOSPLENIUM alter-
nifolium. ♃.

CICHORIUM Intybus. ♃.

CICUTA virosa. ♃.
CINERARIA palustris. ♃.

CIRCAEA alpina. ♃. (2)
lutetiana. ♃.

CHEIRANTHUS mutabilis. ♄
CHELIDONIUM majus fl.
pl ♂. ♃.
CHELONE barbata ♃.
CHENOPODIUM arista-
tum ☉. *
Botrys. ☉. ★
suffruticosum ♄.
Vulvaria. ☉.

CHIRONIA frutescens. ♄.

CHRYSANTHEMUM coro-
narium. ☉.
CHRYSOCOMA biflora. ♃.
Linosyris. ♃.

CICER arietinum. ☉.
Lens. ☉. *
CICHORIUM Endivia. ☉.♂.
Intybus. ♃. ★

CINERARIA amelloides. ♄.
bicolor. ♄.
cruenta ♃.
geifolia. ♄.
hybrida. ♄.
lanata. ♄.
maritima. ♄. ·

CISSUS acida. ♄.
CISTUS crispus. ♄. *
hirsutus. ♄. ★
incanus. ♄.
populifolius. ♄.

(1 und 2) Stehen nicht in *Kunth flor. berol.*

27

CISTUS salvifolius. ♄.
　　　vaginatus. ♄. *
CITHAREXYLUM qua-
　　　drangulare. 24.
CITRUS Aurantium. ♄. (1)
　　　decumana. ♄.
　　　medica. ♄.

CLADIUM germani-
　　　cum. 24. (2)
CLADONIA rangiferina.
　　　Crom.

CAYTONIA perfoliata. ☉. *
CLEMATIS calycina. ♄.
　　　erecta. 24.
　　　glauca. ♄.
　　　integrifolia. 24.
　　　Vitalba. ♄.
　　　Viticella ♄.
　　　virginiana. ♄.
CLEOME spinosa. ☉. *
　　　viscosa. ☉. *
CLERODENDRUM fra-
　　　grans. ♄.
CLIFFORTIA ilicifolia. ♄.

CLINOPODIUM vulgare. 24.

CLUYTIA pulchella. ♄.

CNICUS acaulis. 24.
　　　lanceolatus ♂.
　　　oleraceus. 24.
　　　palustris. 24.

CNICUS canus. 24.
　　　monspessulanus. 24.
　　　tataricus. 24.

COCHLEARIA Armora-
　　　cia. 24.
　　　officinalis. ♂. *
COIX Lachryma. 24. *
COLLINSONIA canaden-
　　　sis. 24.

(1) Eigentliche Orangerie und Frucht-Treiberey ist hier nicht am
　　Orte selbst, aber auf den jetzt damit verbundenen Rietzschen
　　Gutern vorhanden. Wo eine kleinere Sammlung von Gewächsen
　　aller Art, als Handelsgarten, durch den Gaertner Gleim zu Grofs-
　　Rietz bei Beeskow besorgt wird.
(2) Schoenus Maricus. L. steht ebenfalls nicht in Kunth flor. berol.

†† COLUTEA arbores-
cens. ♄·
cruenta. ♄.
frutescens. ♄.

COMARUM palustre. ♃.

COMMELINA africana. ♃.
coelestis. ♃.
pallida. ♃.
tuberosa. ♃.

CONIUM maculatum. ♂.
CONVALLARIA bifolia. ♃.

CONVALLARIA japonica. ♃
majalis. ♃.

CONVOLVULUS arven-
sis. ☉.
sepium. ☉.

CONVOLVULUS lineatus. ♄
tricolor. ☉. *

COREOPSIS tripteris. ♃.
verticillata. ♃.
CORIANDRUM sati-
vum. ☉. *
testiculatum. ☉. *
CORISPERMUM hyssopi-
folium. ☉. *

CORNUS sanguinea. ♄.

†† CORNUS alba. ♄.
alternifolia. ♄·
florida. ♄.
mascula. ♄.
paniculata. ♄.
†† sanguinea. ♄.
†† sericea ♄.

CORONILLA varia. ♃.

†† CORONILLA Emerus. ♄.
glauca ♄.
Securidaca. ☉.
varia. ♃.

CORYDALIS fabacea. ♃.
Crom. (1)
CORYLUS Avellana. ♄.

CORYDALIS aurea. ♂.
lutea.
CORYLUS americana.
Avellana
COTYLEDON orbiculata ♄.
CRAS-

CRASSULA coccinea. ♄.
 falcata. ♄.
 imbricata. ♄.
 lactea. ♄.
 perforata. ♄.
 spatulata. ⚲.
 tetragona. ♄.

GREPIS Dioscoridis. ☉.(1)　GREPIS alpina. ☉. *
 tectorum. ☉.　 foetida. ☉. *
  lappacea. ☉. *
  rubra. ☉. *
  virens. ☉. *

CRINUM erubescens. ♃.
CRITHMUM mariti-
  mum. ♃.
CROCUS maesiacus. ♃.
 vernus. ♃.
CROTALARIA incana. ☉. *

CUCUBALUS Behen. ♃.　CUCUBALUS fabarius. ♃. *
 Otites. ♃.　 multiflorus. ♂. *
  tataricus. ♃.
CUCUMIS Melo. ☉. *
 sativus ☉. *
CUCURBITA Citrullus. ☉.
 Pepo. ☉.
CUPHEA procumbens. ☉.*
 viscosissima. ☉.
CUPRESSUS disticha. ♄.

CUSCUTA europaea. ☉.

CYCLAMEN europaeum. ♃.
CYDONIA vulgaris. ♄.
CYMBIDIUM altum. ♃.
CYNOGLOSSUM officina.　CYNOGLOSSUM apenni-
 le. ♂.　 num. ♂. *
  bicolor. ♂.
  linifolium. ☉. *
  Omphalodes. ♃.

CYNOSURUS cristatus. ♃.　CYNOSURUS cristatus ♃.
CYPERUS flavescens. ☉.　CYPERUS alternifolius. ♃.
 fuscus. ☉.　 esculentus. ♃.

---

(1) Ebenfalls nicht in *Kunth flor. berol.*

B

CYPERUS tenuiflorus. ♃.
vegetus. ♃
†† CYTISUS alpinus. ♄.
†† austriacus. ♄.
†† Laburnum. ♄.
†† nigricans. ♄.
sessilifolius. ♄.

D

D

DACTYLIS glomerata. ♃.

† DACTYLIS glomerata. ♃.
DALEA alopecuroides. ☉. *
DAPHNE Laureola. ♄.
†† Mezereum. ♄.

DATURA Stramonium. ☉.

DATURA ceratocaulon. ☉. *
suaveolens. ♄.
Tatula. ☉. *

DAUCUS Carota. ♂.

DAUCUS Carota. ♂.

DECUMARIA sarmentosa. ♄

DELPHINIUM Consolida. ☉

DELPHINIUM ajacis. ☉.
elatum. ♃.
exaltatum. ♃.
grandiflorum. ♃,
puniceum. ♃.

DESMANTHUS diffusus. ♄,
virgatus. ♄.

DIANTHUS carthusiano-
rum. ♃.
prolifer. ♃.
superbus. ♃. *Crom.*

DIANTHUS asper. ♃.
barbatus. ♃.
Caryophyllus. ♃.
collinus. ♃.
deltoides. ♃.
superbus. ♃.
virgineus. ♃.
DICTAMNUS albus. ♃.
fl. rubr.
DIERVILLA canadensis. ♄

DIGITALIS ambigua. ♃.
  laevigata. ♃.
  .lutea. ♃.
  purpurea. ♃.

DIGITARIA humifusa. ☉. DIGITARIA aegyptiaca.☉.*
  sanguinalis. ☉. ciliaris. ☉. *
DIPSACUS pilosus ♂. DIPSACUS pilosus. ♂.
  sylvestris. ♂. (1) sylvestris. ♂.
    DISANDRA prostrata. ♃.
    DOLICHOS lignosus ♄.
    DORONICUM Pardalian-
      ches. ♃.

DRABRA verna. ☉.

    DRACOCEPHALUM cana-
      riense. ♄. *
    nutans. ♃.
DROSERA anglica. ♃. peltatum. ☉. *
  rotundifolia. ♃. DRACONTIUM pertusum.♄

    DURANTA Ellisia. ♄.

E

E

    ECHINOPS Ritro. ♂.
      sphaerocephalus. ♃.
ECHIUM vulgare. ♃. ECHIUM candicans. ♄.
    creticum. ☉. *
    violaceum. ☉. *

    EHRHARTA panicea.
    †† ELAEAGNUS angustifo-
      lia. ♄.
    ELICHRYSUM bractea-
      tum ♂.
    fulgidum. ♂. ♄.
    ELSHOLZIA cristata. ☉. *

---

(1) Ebenf. nicht in *Kunth flor. berol.*

      B 2

ELYMUS' arenarius. ♃.	† ELYMUS arenarius. ♃.
	canadensis. ♃.
	Caput medusae. ♂.
	† geniculatus. ♃.
	giganteus. ♃.
	sabulosus. ♃.
	sibiricus. ♃.
	tener. ♃.
	villosus. ♃.
	virginicus. ♃.
EPILOBIUM angustifo-	EPILOBIUM angustifo-
lium. ♃.	lium. ♃.
hirsutum. ♃.	hirsutum. ♃.
montanum. ♃.	
palustre. ♃.	
pubescens. ♃.	
roseum. ♃.	
	EPIMEDIUM alpinum. ♃.
EPIPACTIS latifolia ♃.	
Nidus avis. ♃. *Crom.*	
palustris. ♃. *Crom.*	
EQUISETUM arvense. ♃.	
hyemale. ♃.	
limosum. ♃.	
palustre. ♃.	
sylvaticum. ♃.	ERANTHEMUM parviflo-
	rum. ♃.
	pulchellum. ♄.
ERIGERON acre. ♃.	
canadense. ☉.	
	ERIOCEPHALUS africa-
ERIOPHORUM angustifo-	nus. ♄.
lium. ♃.	
cespitosum. ♃.	
latifolium. ♃.	
ERODIUM cicutarium. ☉.	ERODIUM chamaedrioi-
	des. ♃.
	chium. ☉. *
	ciconium. ☉.
	hymenodes. ♃.
	moschatum. ☉. *
ERVUM hirsutum. ☉.	
	ERYNGIUM Bourgati. ♃.
	maritimum. ♃.

ERYNGIUM planum. ♃.
ERYSIMUM repandum. ⊙. *

ERYSIMUM Alliaria. ♂.
    Barbarea. ♃.
    cheiranthoides. ⊙.
    officinale. ⊙.
ERYTHRAEA Centau-
       rium. ⊙.
    compressa. ⊙.
         Crom.

    inaperta. ⊙.

ETHULIA conyzoides. ⊙.
EUCOMIS punctata. ♃.
    undulata. ♃.

EUPATORIUM cannabi-
      num. ♃.

EUPATORIUM cannabi-
      num. ♃.
    purpureum. ♃.

EUPHORBIA Cyparissias. ♃.
    Esula. ♃.
    helioscopia. ⊙.
    palustris. ♃.
    Peplus. ⊙.

EUPHORBIA Caput medu-
      sae. ♄.
    Characias. ♄.
    Esula. ♃.
    Lathyris. ♂.
    maculata. ⊙. *
    mellifera. ♄.
    palustris. ♃.
    prunifolia. ⊙. *
    salicifolia. ♃.
    Tithymaloides. ♄.
    veneta. ♄.

EUPHRASIA Odontites. ⊙.
    officinalis. ⊙.

†† EVONYMUS europae-
      us. ♄.
    latifolius. ♄.
    verrucosus. ♄.

F

F

FAGUS sylvatica. ♄.

FAGUS sylvatica. ♄.
    fol. atrorub.

FEDIA olitoria. ⊙.

FEDIA olitoria. ⊙.

FESTUCA duriuscula. ♃.
    elatior. ♃.
    ovina. ♃.
    pinnata. ♃.
    pratensis. ♃.
    rubra. ♃.

FISSIDENS sciuroides. *Crom*

FRAGARIA collina. ♃. (1)
    vesca. ♃.

FRAXINUS excelsior.

FUMARIA officinalis. ☉.

FERRARIA pavonia. ♃.
FESTUCA cristata. ☽. ✳
    distachyos. ☉. ★
    duriuscula. ♃. ✳
   † elatior. ♃. ✳
   † ovina. ♃. ✳
    pinnata. ♃.
   † pratensis. ♃. ✳
    rigida. ☽. ★
    rubra. ♃. ♃. ✳
FICUS benjamina. ♄.
    Carica. ♄.
    nitida. ♄.

FONTANESIA phillyraeoi-
        des. ♄.
FRAGARIA collina. ♃.
    elatior. ♃.
   · vesca. ♃.
    virginiana. ♃.
†††FRAXINUS america-
        na. ♄.
    aurea. ♄.
    excelsior. ♄.
       pendula.
  † †† juglandifolia. ♄.
    lentiscifolia. ♄.
    Ornus. ♄.
    parvifolia. ♄.
  ††† pubescens. ♄.
  ††† sambucifolia. ♄.
  ·simplicifolia. ♄.
FRITILLARIA imperialis. ♃.
    latifolia. ♃.
    Meleagris. ♃.
FUCHSIA coccinea. ♄.

---

(1) Ebenf. nicht in *Kunth flor. berol.*

G

G

GALANTHUS nivalis. ♃.
GALEGA officinalis. ♃.

GALEOBDOLON luteum. ♃
GALEOPSIS cannabina. ☉(1)
    Ladanum. ☉.
    Tetrahit. ☉.

GALINSOGEA parviflora. ☉

GALIUM Aparine. ☉.
    boreale. ♃.
    Mollugo. ♃.
    palustre. ♃.
    uliginosum. ♃.
    verum. ♃.
    sylvaticum. ♃.

GARDENIA florida. ♄.
GAURA biennis. ♂.
GENISTA germanica. ♄.   GENISTA candicans. ♄. *
    pilosa. ♄.   tinctoria. ♄.
    tinctoria. ♄.

GEORGINA coccinea· ♄.
    variabilis. ♃.
GERANIUM columbinum. ☉   GERANIUM anemonefo-
    molle. ☉.   lium. ♄.
    palustre. ♃.   bohemicum. ☉. *
    robertianum. ☉.   carolinianum. ☉. *
        macrorhizum. ♃.
        palustre. ♃.
        pratense. ♃.
        reflexum. ♃.
        sanguineum. ♃.
        sibricum. ♃.

GEUM rivale. ♃.   GEUM rivale. ♃.
    urbanum. ♃.   srictum. ♃. *
        virginianum. ♃. *
    GLADIOLUS amoenus. ♃.
        communis. ♃.

---

(1) Diese Gattung verdient noch eine genaue Untersuchung, ich
glaube noch eine neue Art gefunden zu haben.

Wildwachs. Pflanzen.	Cultivirte Pflanzen.
	GLAUCIUM luteum. ♃.
	phoeniceum. ☉. ✳
GLECHOMA hederacea. ♃.	
	✝✝GLEDITSCHIA horrida. ♄
	GLYCINE Apios. ♃.
	GLYCIRRHIZA echinata. ♃.
	glabra. ♃.
GNAPHALIUM arena-	GNAPHALIUM cymosum. ♄
rium. ♃.	foetidum. ♂.
arvense. ☉.	helianthemifo-
divicum. ☉.	lium. ♄.
luteo - album. ☉.	italicum. ♄.
Crom.	orientale. ♄.
montanum. ☉.	magaritaceum. ♃.
rectum ♃.	
uliginosum. ☉.	
	GNIDIA simplex. ♄.
	GOMPHRENA decum-
	bens. ☉. ✳
	globosa. ♃. ✳
	GORTERIA rigens. ♄.
	GOSSYPIUM barbadense. ♄
	religiosum. ♄.
GRATIOLA officinalis. ♃.	GRATIOLA officinalis. ♃.
Crom.	GRINDELIA inuloides. ♄.
	GYMNOCLADUS canaden-
	sis. ♄.
GYPSOPHILA fastigiata. ♃.	GYPSOPHILA paniculata. ♄.
Crom. (1)	viscosa. ☉. ✳

H

H

GLAUCIUM...

HALORAGIS Cercodia. ♄.
HASSELQUISTIA aegyptia-
ca. ☉. *
HEDYPNOIS monspelien-
sis, ☉. *

---

(1) Ebenf. nicht in *Kunth flor. berol.*

	HEDYPNOIS rhagadioloi- des. ⊙. *
	HEDYSARUM corona- rium. ⚃.
	† Onobrychis. ⚃.
	HELENIUM autumnale. ⚃.
HELIANTHEMUM vulga- re. ♄.	HELIANTHEMUM Laevi- pes· ♄.
	roseum. ♄.
	HELIANTHUS annuus. ⊙.
	decapetalus. ⚃.
	giganteus. ⚃.
	mollis. ⚃.
	multiflorus. ⚃.
	trachelifolius. ⚃.
	tuberosus. ⚃.
	HELIOTROPIUM europae- um. ⊙. *
	peruvianum. ♄.
	HELLEBORUS foetidus. ⚃.
	hyemalis. ⚃.
	niger. ⚃.
	viridis. ⚃.
	HEMEROCALLIS coeru- lea. ⚃.
	flava. ⚃.
	fulva. ⚃.
	HEMIMERIS urticifolia. ♄.
HEPATICA triloba. ⚃ Crom.	HEPATICA triloba. ⚃.
HERACLEUM Sphondy. lium. ♂.	HERACLEUM sibiricum. ♂.
	HERMANNIA angularis. ♄.
	alnifolia. ♄.
	althaeifolia. ♄.
	denudata. ♄.
	disticha. ♄.
	holosericea. ♄.
	lavandulifolia. ♄.
HERNIARIA glabra. ⊙.	
	HESPERIS africana. ⊙. *
	matronalis. ♂.
	tristis. ♂.
	HEUCHERA americana. ⚃.
	HIBISCUS Abelmochus. ♄.
	Manihot. ⚃.

	HIBISCUS mutabilis. ♄.
	palustris. ♃.
	Rosa sinensis. ♄.
	speciosus. ♃.
	syriacus. ♄.
	Trionum. ☉.
	vesicarius. ☉.
HIERACIUM dubium. ♃.	**HIERACIUM** amplexicau-
Crom.	· le. ♃.
murorum. ♃.	Auricula. ♃.
paludosum. ♃.	aurantiacum. ♃.
Pilosella. ♃.	cerinthoides. ♃.
sabaudum. ♃. *Crom.*	cymosum. ♃.
umbellatum. ♃.	dubium. ♃.
	fallax. ♃.
	flexuosum. ♃.
	glaucum. ♃.
	intybaceum. ♃.
	sibiricum. ♃.
	umbellatum. ♃.
	undulatum. ♃.
	villosum. ♃.
	HIPPOCREPIS multisiliquo-
	sa. ☉. ☀
	†† HIPPOPHAE Rhamnoi-
	des. ♄.
HIPPURIS vulgaris. ♃.	
HOLCUS avenaceus. ♃.	† HOLCUS avenaceus. ♃. ☀
bulbosus. ♃.	† bulbosus. ♃. ★
lanatus. ♃.	† lanatus. ♃. ☀
mollis. ♃.	mollis. ♃.
	odoratus. ♃.
HOLOSTEUM umbella-	
tum. ☉.	
HORDEUM murinum. ☉.	**HORDEUM** distichon. ☉. ☀
	nudum. ☀
	hexastichon. ☉. ☀
	nigrum. ♂. ☀
	vulgare. ☉. ☀
	coeleste. ☀
	Zeocriton. ☉. ★
HOTTONIA palustris. ♃.	
HUMULUS Lupulus. ♃.	**HUMULUS** Lupulus. ♃.

	HYACINTHUS orientalis. ♃.
	HYDRANGEA arborescens. ♄.
	hortensis. ♄.
HYDROCHARIS Morsus ranae. ♃.	
	HYDROPHYLLUM virginicum. ♃.
HYOSCYAMUS niger. ♂.	HYOSCYAMUS aureus. ♃.
	pallidus. ☉. *
	physaloides. ♃.
	Scopolia. ♃.
	HYOSERIS lucida. ☉. *
HYPERICUM humifusum. ♃.	HYPERICUM Ascyron. ♄.
montanum. ♃.	Androsaemum. ♄. *
perforatum. ♃.	balearicum. ♄.
quadrangulare. ♃.	elegans. ♃.
	foliosum. ♄.
	Kohlianum. ♃.
	Spreng.
	quadrangulare. ♃.
	perforatum. ♃.
	undulatum. ♃. *

HYPNUM adun-
cum.
commuta-
tum.
Crista cas-
trensis.
filicinum.   } *Crom.*
intrica-
tum.
nitens.
praecox.
rugosum.
stellatum.

| HYPOCHOERIS glabra. ☉. | HYPOCHOERIS radica- |
| radicata. ♃. | ta. ♃. * |

HYSSOPUS officinalis. ♃.

I

I

IASIONE montana. ⊙.

IASMINUM azoricum. ♄.
 fruticans. ♄.
 gracile. ♄.
 grandiflorum. ♄.
 odoratissimum. ♄.
 officinale. ♄.
 Sambac. ♄.

IBERIS nudicaulis. ⊙.

IBERIS semperflorens. ♄.
 sempervirens. ♄.

IMPATIENS Nolitange-
  re. ⊙. (1)

IMPATIENS Balsamina. ⊙. *
 Nolitangere. ⊙.
IMPERATORIA Ostruthi-
  um. ♃.
INDIGOFERA tinctoria. ♄.

INULA britanica. ♃.
 dysenterica. ♃.
 Pulicaria. ⊙.
IRIS Pseudacorus. ♃.

INULA Helenium. ♃.
 Oculus Christi. ♃.

IRIS acuta. ♃.
 foetidissima. ♃.
 germanica. ♃.
 graminea. ♃.
 Güldenstädtii. ♃.
 Pseudacorus. ♃.
 pumila. ♃.
 sibirica. ♃.
 susiana. ♃.
 variegata. ♃.
ISATIS tinctoria. ♂.
††† IUGLANS cinerea. ♄.
 nigra. ♄.
 oblongifolia. ♄.
†† regia. ♄.

IUNCUS bufonius. ⊙.
 bulbosus. ♃. (2)

---

(1) Ebenfals nicht in *Kunth flor. berol.*

(2) *Hoppe* in seinem botanischen Taschenbuch Jahrg. 1810.
pag. 184. sagt bey dieser Pflanze; ,, *Smith* bemerkt: die

JUNCUS conglomeratus. ♃.
    effusus. ♃.
    foliosus. ♃.   *Hop-*
        pe. (1)
    glaucus. ♃.

JUNIPERUS communis. ♄.   JUNIPERUS communis. ♄.
                                phoenicea. ♄.
                              ††† virginiana. ♄.

Ursache der „Benennung *bulbosus* sey ihm völlig unbekannt; soll-
„ten nicht die runden zwiebelförmigen Saamenkapseln dazu Gele-
„genheit gegeben haben?"

Mein gesammeltes Exemplar ist mit kleinen Bulben oder Zwiebeln auf der horizontal in der Erde fortkriechenden Hauptwurzel
versehen, woraus die aufrechten Halme hervorwachsen. Sollten
vielleicht diese Bulben oder Zwiebeln in verschiedenem Boden oder
Jahreszeit einiger Abänderung unterworfen seyn? Oder giebt es
vielleicht noch eine ähnliche Art die mit dem wirklichen *I. bulbosus* bisher für eins gehalten worden ist?

(1) Ueber den *Juncus articulatus α aquaticus Linn.* scheinen noch
Irthümer Statt zu finden, ich habe deshalb obige Benennung *I.
foliosus. Hoppe* gewählt, und mache zugleich auf dessen Bemerkungen in seinem botanischen Taschenbuche Jahrg. 1810. pag. 143.
aufmerksam.

Diese Pflanze kömmt auf manchen nassen Wiesen häufig vor,
besonders auf solchen die noch nicht umgepflügt worden, und be-
kömmt im Sommer durch die Stiche eines Insekts (*Chermes Junci.
Schrank*) mißgestaltete Auswüchse, welche im Herbst häufig zu
finden, und dem Schaafvieh, welches zum überwintern bestimmt ist,
sehr nachtheilig seyn soll, so dafs wenn sie viel davon genossen,
wenige durch den Winter kommen. Die Schaafe sollen diese
Binse in ihrem kranken Zustande gern fressen und fett davon werden, es darf daher auf Wiesen wo diese Pflanze häufig
vorkömmt, nur solches Schaafvieh gehütet werden, dafs vor Winter zum Schlachten bestimmt ist: Sie kennen zu lernen, ist daher
für den Landwirth besonders wichtig. Die Schäfer in hiesiger Gegend nennen diese kranke Binse *Egelgrafs, Egelkraut* und Gift-
kraut; einige glauben dafs, durch den häufigen Genufs dieser kranken Pflanze, die Egelschnecke (*Fasciola Hepatica*) in den Lebern
der Schaafe entsteht. Obgleich dieses nun nicht wohl möglich, dafs
aus der Larve eines *Chermes* eine Egelschnecke werden kann, so
ist doch die Schädlichkeit dieser Pflanze erwiesen. Es wird
hierauf zurück gekommen werden, so bald es möglich seyn wird,
die in No. 35. der landwirthschaftlichen Zeitung von 1804. und in
den Annalen des Ackerbaues. Band 3. Seite 72. vom Jahr 1806. an-
gefangene Jahresbericht, der hiesigen Schäferey fortzusetzen, wozu
während der denkwürdigen Jahre 6/14 alle Materialien ge-
sammelt sind, zu deren Bearbeitung aber noch nicht genug Musse
sich gefunden hat.

Den mit dem *Juncus foliosus* verwandten *J. diphyllus. Hoppe.*
habe ich noch nicht auf meinen botanischen Wanderungen hier
gefunden.

JUSTITIA Adhatoda. ♃.
  coccinea ♄.
  furcata ♄.
  lithospermifolia. ☉*
  nasuta ♄.
  quadrifida ♄.
  resupinata. ♃.
IVA frutescens. ♄.
IXIA crocata. ♃.

K

K

KITAIBELIA vitifolia. ♃.

L

L

LACHENALIA serotina. ♃.
  tricolor ♃.

LACTUCA Scariola. ☉.

LACTUCA perennis. ♃.
  sativa. ☉.

LAMIUM album. ♃.
  amplexicaule. ☾.
  maculatum. ♃.
  purpureum. ☉.

LANTANA aculeata. ♄.
  nivea. ♄.
  scabrida. ♄.

LAPSANA communis ☉.
  pusilla. ☉.

LASERPITIUM silaifolium.
  ♃. *

LATHRAEA Squamaria. ♃.
LATHYRUS palustris, ♃.
  pratensis. ♃.

LATHYRUS latifolius. ♃.
  pratensis. ♃.
  sativus. ♃.
  sylvestris. ♃.
  tuberosus. ♃.
LAURUS Benzoin. ♄.
  nobilis. ♄.

LAVANDULA abrotanoi-
des. ♄.
dentata. ♄.
multifida. ♄.
Spica. ♄.
LAVATERA arborea. ♂. *
hispida. ♄.

LEMNA gibba. ♃.
minor. ♃.
polyrhiza. ☉.
trisulca. ☉.
LEONTODON Taraxa-
cum. ♃.
LEONURUS Cardiaca. ♃.   LEONURUS Marrubia-
strum. ♃.
tataricus. ♂.
LEPECHINIA spicata. ♃.
LEPIDIUM ruderale. ☉.   LEPIDIUM sativum. ☉.
LIGUSTICUM Levisti-
cum. ♃.
††LIGUSTRUM vulgare. ♄.
LILIUM bulbiferum. ♃.
canadense. ♃.
candidum. ♃.
Martagon. ♃.
philadelphicum. ♃.
LINARIA vulgaris. ♃.   LINARIA minor. ☉.
LINUM catharticum. ☉.   LINUM perenne. ♃.
Radiola. ☉.   usitatissimum. ☉.
LIRIODENDRUM Tulipi-
fera. ♄.
LITHOSPERMUM arven-   LITHOSPERMUM offici-
se. ☉.   nale. ♃.
LOBELIA cardinalis. ♃.
fulgens. ♃.
siphilitica. ♃.
splendens. ♃.
LOLIUM arvense. ☉. (1)   † LOLIUM perenne. ♃. *
perenne. ♃.
temulentum. ☉.

(1) Ebenf. nicht in *Kunth flor. beros.*

†† LONICERA alpigena. ♄.
    Caprifolium. ♄.
    coerulea. ♄.
    dioica. ♄.
    Periclymenum. ♄.
    sempervirens. ♄.
    †† tatarica. ♄.
        sibirica.
    Xylosteum. ♄.

LOPEZIA coronata. ☉.

LOTUS arvensis. ♃.
    uliginosus. ♃.

LOTUS creticus. ♃. *
    glaucus. ♂.
    hirsutus. ♄.
    . jacobaeus. ♄.
    rectus. ♄.

LUNARIA annua. ♂.
    canescens. ♃.

LUPINUS arboreus. ♄.
    hirsutus. ☉.

LUZULA campestris. ♃.
    pilosa. ♃.

LYCHNIS dioica. ♃.
    Flos Cuculi. ♃.
    viscaria. ♃.

LYCHNIS chalcedonica. ♃.
        fl. pl.

LYCIUM afrum. ♄.
    †† barbarum. ♄.
    europaeum. ♄.
    †† ruthenicum. ♄.

LYCOPODIUM clavatum. ♃
    complanatum. ♃.

LYCOPSIS arvensis. ☉.

LYCOPUS europaeus. ♃.

LYCOPUS exaltatus. ♃.

LYSIMACHIA Nummula-
    ria. ♃.
    thyrsiflora. ♃.
    vulgaris. ♃.

LYSIMACHIA punctata. ♃.
    quadrifolia. ♃.

LYTHRUM Salicaria. ♃.

LYTHRUM Salicaria. ♃.
    virgatum. ♃.

M

M

M

MALVA Alcea. ♃.
   rotundifolia. ♃.
   sylvestris. ♃.

MARCHANTIA polymor-
    pha
MARRUBIUM vulgare. ♃.

MATRICARIA Chamo-
   milla. ☉.

MEDICAGO falcata. ♃.
   lupulina. ♂.
   minima. ☉.

MELAMPYRUM arvense. ☉
   nemorosum. ☉.
   pratense. ☉.

MELICA coerulea. ♃.
   nutans. ♃.

MAGNOLIA grandiflora. ♄.
MAHERNIA incisa. ♄.
   pinnata. ♄.
MALVA angustifolia. ♄.
   capensis. ♄.
   crispa. ☉
   limensis. ☉. ★
   verticillata. ☉.
   virgata. ♄.

MARRUBIUM hispani-
    cum. ♃. ★
   supinum
MATRICARIA Chamo-
   milla. ☉.
MAURANDIA semperflo-
   rens. ♃.
MEDICAGO arborea. ♄. ★
 † carstiensis. ♃. ☆
   denticulata. ☉. ★
   distans. ☉. ★
   falcata. ♃.
   Murex ☉. ★
   lupulina. ♂.
   polycarpa. ☉. ★
 † sativa. ♃.
   Terebellum. ☉. ☆
MELALEUCA ericifolia. ♄.
   hypericifolia. ♄.
MELAMPODIUM longi-
   folium. ☉. ★

MELIA Azedarach. ♄.
MELIANTHUS major. ♄.
MELICA altissima. ♃.
   ciliata. ♃.
   coerulea. ♃.

C

Wildwachs. Pflanzen.	Cultivirte Pflanzen.
MELILOTUS officinalis. ☉.	MELILOTUS coerulea. ☉. *
vulgaris. ♂.	cretica. ☉. *
	MELISSA officinalis. ♃.
	MENISPERMUM canaden-
	se. ♄.
	virginicum. ♄.
MENTHA aquatica. ♃.	MENTHA crispa. ♃.
arvensis. ♃.	lavandulacea. ♃.
austriaca. ♃.	nemorosa. ♃.
	piperita. ♃.
	rotundifolia. ♃.
	viridis. ♃.
MENYANTHES trifoliata. ♃	
	MERCURIALIS perennis. ♃
	MESEMBRYANTHEMUM
	aurantium. ♄.
	aureum. ♄.
	barbatum. ♄.
	bicolorum. ♄.
	calamiforme. ♄.
	cordifolium. ♄.
	corniculatum. ♄.
	crassifolium. ♄.
	cristallinum. ☉. *
	deltoides. ♄.
	densum. ♄.
	diversifolium. ♄.
	dolabriforme. ♄.
	edule. ♄.
	emarginatum. ♄.
	falcatum.
	hispidum. ♄.
	lacerum. ♄.
	laxum. ♄.
	lunatum. ♄.
	mutabile. ♄.
	noctiflorum. ♄.
	obliquum. ♃.
	perfoliatum. ♄.
	roseum. ♄.
	rostratum. ♃.
	rubricaule. ♄.
	spinosum. ♄.
	splendens ♄.

	straminum. ♄. tenuifolium. ♄. tortuosum. ♃.
MESPILUS monogyna. ♄. Oxyacantha. ♄.	MESPILUS coccinea. ♄. †† Cotoneaster. ♄. Crus galli. ♄. monogyna. ♄. fl. rubr. Oxyacantha. ♄. punctata. ♄. †† Pyracantha. ♄. pyrifolia. ♄. tanacetifolia. ♄. METROSIDEROS lanceo- lata. ♄. linearis. ♄. ·MIMULUS glutinosus. ♄. guttatus. ♃. * ringens. ♃. MIRABILIS Jalapa ♃. * longiflora. ♃. * MITELLA diphylla. ♃. MOLLIA diffusa ☉. latifolia. ♃. MONARDA clinopodia. ♃. didyma. ♃. mollis. ♃. rugosa. ♃.
MONOTROPA Hypopi- thys. ♃.	
	MORUS alba. ♄. nigra. ♄. MUSCARI moschatum. ♃. racemosum. ♃. MYAGRUM perenne. ♃.
MYOSOTIS arvensis. ☉. Lappula. ☉. scorpioides. ♃. MYOSURUS minimus. ☉.	MYOSOTIS Lappula. ☉. *
MYRIOPHYLLUM spica- tum. ♃. verticillatum. ♃.	MYRICA cerifera. ♄.

MYRTUS conmmunis. ♄.
  α. tarentina.
  β. italica.
  γ. baetica.

N

NAJAS monosperma, ☉.

NEPETA Cataria. ♃.

NIGELLA arvensis. ☉.

NYMPHAEA alba. ♃.
  lutea. ♃.

N

NARCISSUS Jonquilla. ♃.
  poeticus. ♃.
  Pseudo Narcissus. ♃
NEPETA colorata. ♃.
  marrubioides. ♃.
  Mussini. Spr. ♃.
  pannonica. ♃.
  reticulata. ♃.
  violacea. ♃.
NERIUM Oleander. ♄.
  fl. pl.
NICANDRA physaloides. ☉.
NICOTIANA fruticosa. ♄.
  macrophylla. ☉.
  paniculata. ☉.
  rustica. ☉.
  Tabacum. ☉.
NIGELLA damascena. ☉.
  sativa. ☉. *

O

O

OCYMUM Basilicum. ☉. *
  polystachion. ☉. *
  viride. ♄.

OENANTHE fistulosa. ♃.
OENOTHERA biennis. ♂.
  Crom.

OEDERA prolifera. ♄.

OENOTHERA biennis. ♂.
  fruticosa. ♃.
  gauroides. ♂.
  grandiflora. ♃.
  muricata ♂.
  purpurea. ☉. *
  rosea. ♃.

ONONIS spinosa. ♃.
ONOPORDON Acanthi-
  um. ♂.
ORCHIS bifolia. ♃.
  latifolia. ♃.
  Morio. ♃. Crom.
ORIGANUM vulgare. ♃.
ORNITHOGALUM villo-
  sum. ♃.

ONONIS ORNITHOPUS perpusil-
  lus. ☉.
OROBANCHE ramo-
  sa. [♃ ?] (1)
laevis.♃.Freienwalde(2).
OROBUS niger. ♃.
  tuberosus. ♃.

OLEA fragrans. ♄.
ONONIS hircina. ♃. *
ONOPORDON tauricum.♂.

ORIGANUM Majorana. ☉.
ORNITHOGALUM nu-
  tans. ♃.
  umbellatum. ♃.

OROBUS niger. ♃.
  vernus. ♃.
ORYZA sativa. ☉.
OSTRYA virginica. ♄.
  vulgaris. ♄.
OXALIS Acetosella. ♃.
  incarnata. ♃.
  stricta. ♃.
OXYBAPHUS glabrifolius. ♃

QXALIS Acetosella. ♃.
  stricta. ♃.

P

P

PAEONIA officinalis. fl. pl.
  purp. ♃.

(1. u. 2.) Beide Arten sind nicht in Kunth flor. berol.

PAEONIA officinalis. fl. pl.
purp. roseo.
alb.
tenuifolia.. ♃.

PANICUM Crus galli. ⊙.   PANICUM capillare. ⊙. ⁎
    glaucum. ..   germanicum. ⊙. ★
    verticillatum. ⊙.   italicum. ⊙. ★
        Crom. (1)   miliaceum. ⊙. ⁎
    viride. ⊙.
PAPAVER Argemone. ⊙.   PAPAVER orientale. ♃.
    dubium. ⊙.   somniferum. ⊙. ★
    Rhoeas. ⊙.

                      PARIETARIA officinalis. ♃.

PARIS quadrifolia. ♃.
PARMELIA centri-⎫
      fuga.   ⎪
      chlorophyl- ⎪
        la.   ⎬Crom.
      fahlunensis. ⎪
      pulmonaria ⎪
      rigida.   ⎪
      saxatilis. ⎭
PARNASSIA palustris. ♃.

                      PASSIFLORA angustifolia. ♄
                        coerulea. ♄.
                        cuprea. ♄.
                        incarnata. ♃.
                        lunata. ♄.
                        normalis. ♄.
                        serratifolia. ♄.
                        suberosa. ♄.
PASTINACA sativa. ♂.   PASTINACA sativa. ♂.
                      PAVONIA Columella. ♄.
                        praemorsa. ♄.
                     . spinifex. ♄.
PEDICULARIS palustris. ⊙.

                      PELARGONIUM acerifo-
                            lium. ♄.

---

(1) Ebenfalls nicht in *Kunth flor. berol.*

PELARGONIUM aceto-
        sum. ♄.
alchemilloides. ♃.
amplissimum. ♄.
anceps ♃.
articulatum. ♃.
asperum. ♄.
australe. ♃.
Barringtonii. ♄.
betulinum. ♄.
capitatum. ♄.
conduplicatum. ♄.
coriandrifoli-
        um. ♂. ♃.
crispum. ♄.
cucullatum. ♄.
delphinifolium. ♄.
denticulatum. ♄.
echinatum. ♄.
exstipulatum. ♄.
fragrans. ♄.
fulgidum. ♄.
gibbosum. ♄.
glutinosum. ♄.
gratum. ♄.
graveolens. ♄.
heterogamum. ♄.
hybridum. ♄.
incisum. ♄.
inquinans. ♄.
lateripes. ♄.
monstrum. ♄.
odoratissimum. ♃.
papilionaceum. ♄.
peltatum. ♄.
pumilum. ♄.
quercifolium. ♄.
Radula. ♄.
        roseum.
scandens ♄.
speciosum. ♄.
stenopetalum. ♄.
ternatum. ♄.
tetragonum. ♄.

tomentosum. ♄.
tripartitum. ♄.
triste. ♃.
zonale. ♄.
  fol. alb. marginat.
  luteo

PELTIGERA venosa. *Crom.*

PENTSTEMON campanu-
  lata. ♃.

PEPLIS portula. ☉.

†† PERIPLOCA graeca. ♄.
PETIVERIA alliacea. ♄.
† PHALARIS arundina-
  cea. ♃. *

PHARIS arundinacea. ♃.

canariensis. ☉. *
capensis. ♃. *
minor. ☉. *.

PHASCUM curvi- ⎤
  collum ⎬ *Crom.*
muticum. ⎦

PHASEOLUS nanus. ☉.
  vulgaris. ☉.

PHELLANDRIUM aquati-
  cum. ♂.

†† PHILADELPHUS coro-
  narius. ♄.
  nanus.

PHLEUM asperum. ☉.
  .. *Crom.*
Boehmeri.. ♃.
pratense. ♃.

PHLEUM Boehmeri. ♃. *
  Michelii. ♃.
† pratense. ♃. *
PHLOMIS fruticosa. ♄.
  Leonurus. ♄.
  tuberosa. ♃. *
PHLOX divaricata. ♃.
  glaberrima. ♃.
  paniculata. ♃.
  suaveolens. ♃.
PHOENIX dactylifera. ♄.
PHYLICA acerosa. ♄.
  ericoides. ♄.
PHYLLANTHUS Epiphyl-
  lanthus. ♄.
  Niruri. ☉. *
PHYLLIS nobla. ♄. *

PHYSALIS Alkekengi. ♃.
     flexuosa. ♄.
     peruviana. ♃.
     viscosa. ♃.
PHYTOLACCA decandra. ♃

PICRIS hieracioides ♃. (1)
PIMPINELLA magna. ♃.
     nigra. ♃.

PINUS sylvestris. ♄.

†††PINUS Abies. ♄. (2)
     alba. ♄.
   †††balsamea. ♄.
     canadensis. ♄.
     Cembra. ♄.
     inops. ♄.
 †††Larix. ♄.
     microcarpa. ♄.
     nigra. ♄.
†††Picea. ♄.
†††Strobus. ♄.
     sylvestris. ♄.
PIPER blandum. ♃.
     magnoliaefolium. ♄.
     verticillatum. ♃.
PIQUERIA trinervia. ♃.
PISUM sativum. ☉.

PLANTAGO arenaria. ☉.
     lanceolata. ☉.
     major. ♃.
     media. ♃.

PLANTAGO altissima. ♃.
     stricta. ☉. *

PLATANUS occidentalis. ♄
PLECTRANTHUS frutico-
     sus. ♄.

---

(1) Ebenf. nicht in Kunth flor. berol.

(2) An den hiesigen Bäumen des P. Abies habe ich drey verschieden gebildete Arten von Zapfen bemerkt: als
   α. Zapfen mit Schuppen welche eine langvorgezogene, abgestutz-
   te, gezähnte Spitze haben.
   β. Zapfen mit Schuppen welche eine langvorgezogene, abgestütz-
   te, ausgerandete, gezähnte Spitze haben.
   γ. Zapfen mit runden Schuppen, ohne Spitze.
Die Zapfen α. und β. sind wohl nur als Abarten anzunehmen, aber
γ. dürfte wohl etwas mehr seyn?

Wildwachs. Pflanzen.	Cultivirte Pflanzen.
	PLUMBAGO rosea. ♄.
	scandens. ♄.
	zeylanica. ♄.
POA annua. ☉.	POA alpina. ♃.
aquatica. ♃.	† aquatica. ♃.
bulbosa. ♃.	badensis. ♃.
compressa. ♃.	bulbosa. ♃.
fluitans. ♃.	distans. ♃.
nemorosa. ♃.	glauca. ♃. *
pratensis. ♃.	nervata. ♃.
trivialis. ♃.	pilosa. ☉. *
	† pratensis. ♃. *
	serotina. ♃. *
	† trivialis. ♃. *
	POLEMONIUM coerule-
	um. ♃.
	POLYANTHES tuberosa. ♃.
POLYGALA vulgaris. ♃.	
POLYGONUM amphibi-	POLYGONUM Bistorta. ♃.
um. ♃.	divaricatum. ♃.
α aquaticum.	emarginatum. ☉. *
β terrestre.	Fagopyrum. ☉. *
aviculare. ☉.	orientale. ☉.
Bistorta. ♃.	tataricum. ☉. *
Convolvulus. ☉.	
dumetorum. ☉.	
Hydropiper. ☉.	
incanum. ☉.	
minus. ☉.	
Persicaria. ☉.	
POLYPODIUM vulgare. ♃.	POLYPODIUM aureum. ♃.
Dryopteris. ♃.	
Crom.	** POPULUS alba. ♄.
	** balsamifera. ♄.
POPULUS tremula, ♄.	candicans. ♄.
	** canescens. ♄.
	** dilatata. ♄.
	graeca. ♄.
	** monilifera. ♄.
	** nigra. ♄.
	tremula. ♄.
PORTULACA oleracea. ☉.	PORTULACA oleracea. ☉.
	PORTULACARIA afra. ♄.

POTAMOGETON compla-
  natum. ♃. (1)
  compressum. ♃.
  crispum. ♃.
  fluitans ♃.
  heterophyllum. ♃.
  lucens. ♃.
  natans. ♃.
  pectinatum. ♃.
  perfoliatum. ♃.
  praelongum. ♃.
    Wulfen. (2)
  serratum. ♃.

POTENTILLA alba. ♃.   POTENTILLA alba. ♃.
  Anserina. ♃.   :   astracanica. ♃.
  argentea. ♃.   †† fruticosa. ♄.
  incana. ♃. (3)   hirta. ♃.
  opaca. ♃.   .   laciniata. ♄.
  reptans. ♃.   obscura. ♃.
  verna. ♃.   pensylvanica. ♃.
                                rupestris. ♃.
                           POTERIUM agrimonifoli-
                                  um. ♃.
                                hybridum. ♃.
                                Sanguisorba. ♃.
                           PRASIUM majus. ♄.

PRENANTHES muralis. ☉.
PRIMULA veris. ♃.   PRIMULA Auricula, ♃.
PRUNELLA grandiflora. ♃.
  vulgaris. ♃.

---

(1) Siehe die *Adnotationes* des Herren von Chamisso, der vorzüglich
  diese Gattung und die hier gefundenen Arten derselben berücksich-
  tigte.

(2) Ohnweit des Ausflusses des Stobberow Stroms aus dem Kietzer-
  See bey Friedland.

(3) Diese Pflanze, welche hier häufig wächst, scheint bisher mit *P.
  verna* verwechselt zu sein; *P. verna* findet sich hier nicht so
  häufig und hat ein grünes freudiges Ansehn, dahingegen ist diese
  P incana ganz bestaubt oder grau.
    Letztere Pflanze steht ebenfalls nicht in *Kunth flor. berol.*

PRUNUS Padus. ♄.	PRUNUS Armeniaca. ♄.
spinosa. ♄.	avium. ♄.
	Cerasus. ♄.
	fl. pl.
	domestica. ♄.
	insiticia ♄.
	Lauro - Cerasus. ♄.
	Mahaleb. ♄.
	** Padus. ♄.
	pygmaea. ♄.
	semperflorens. ♄.
	††† serotinus. ♄
	Susquehanae. ♄.
	†† virginiana. ♄.
	PSORALEA bituminosa. ♄. *
	bracteata. ♄.
	glandulosa. ♄.
	palaestina. ♄.
	pinnata ♄.
	†† PTELEA trifoliata. ♄.
PTERIS aquilina. ♃.	
	PULMONARIA officinalis. ♃
PULSATILLA pratensis. ♃.	
	PUNICA Granatum. ♄.
PYRETHRUM inodorum. ☉.	PYRETHRUM argente-
	um. ♃.
	corymbosum. ♃.
	macrophyllum. ♃.
	Parthenium. ♃.
PYROLA rotundifolia. ♃.	
Crom.	
umbellata. ♄.	
secunda. ♃.	
PYRUS communis. ♄.	PYRUS Aria. ♄.
	communis. ♄.
	dioica. ♄.
	†† hybrida. ♄.
	intermedia. ♄.
	Malus. ♄.
	ovalis. ♄.
	Pollveria ♄.
	†† prunifolia. ♄.
	spectabilis. ♄.
	torminalis. ♄.

Q

Q

QUERCUS pedunculata. ♄.
   Robur. ♄.

††† QUERCUS coccinea. ♄
††† palustris. ♄.
   pedunculata. ♄.
   Prinus. ♄.
   Robur. ♄.
††† rubra. ♄.

R

R

RANUNCULUS acris. ♃.
   bulbosus. ♃.
   capillaceus. ♃. (1)
   Ficaria ♃.
   Flammula. ♃.
   fluviatilis. ♃.
   heterophyllus. ♃. (2)
   Lingua ♃.
   Philonotis. ☉. (3)
   repens. ♃.
   sceleratus. ☉.
RAPHANUS Rhaphanis-
   trum. ☉.
   fl. albo.

RANUNCULUS repens. fl.
   pl. ♃.

RAPHANUS arcuatus. ☉.
   sativus. ☉. ♂.

RENEALMIA nutans. ♃.
RESEDA alba. ☉.
   lutea. ♃.
   Luteola. ☉. ✳
   odorata. ☉. ♂. ✳

(1 und 2) Obgleich diese von den meisten Schriftstellern als Abarten
unter *R. aquatilis:* aufgeführt werden, so habe ich mich doch davon noch nicht überzeugen können, und erlaube mir solche so lange als eigene Art aufzuführen, bis ich überführt bin.

(3) Ebenf. nicht in *Kunth flor. berol.*

Wildwachs. Pflanzen.	Cultivirte Pflanzen.
RHAMNUS catharticus. ♄· Frangula. ♄.	RHAMNUS catharticus. ♄. Frangula. ♄. RHEUM hybridum ♃. undulatum. ♃
RHINANTHUS Crista galli. ☉.	RHUS Cotinus. ♄· †† radicans. ♄. †† typhinum. ♄. Vernix. ♄· viminale. ♄.
RIBES nigrum. ♄.	†† RIBES alpinum. ♄. Grossularia. ♄. †† floridum. ♄· nigrum. ♄· rubrum. ♄· Uva crispa. ♄.
RICCIA cristallina. *Crom.* fluitans. *Crom.*	RICINUS africanus. ♄. * communis ☉. ★ RIVINA brasiliensis. ♄. humilis. ♄. purpurascens. ♄. †† ROBINIA Caragana. ♄· Chamlagu. ♄· †† frutescens. ♄. †† Halondendron. ♄. hispida. ♄. Pseudacacia. ♄. spinosa. ♄. viscosa. ♄.
ROSA canina. ♄. rubiginosa. ♄. villosa. ♄.	ROSA alba. ♄. arvensis. ♄. balearica. ♄. bracteata. ♄. canina. ♄. carolina. ♄. centifolia. ♄. cinnamomea. ♄. damascena. ♄. gallica. ♄. gemella. ♄. lucida. ♄. lutea. ♄.

ROSA lutea bicolor.
　　moschata. ♄.
　　muscosa. ♄.
　　parvifolia ♄.
　　pendulina. ♂.
　　pimpinellifolia. ♄.
　　polyphylla. ♄.
　　provincialis. ♄.
　　reversa. ♄.
　　rubiginosa. ♄.
　　semperflorens pal-
　　　　lida. ♄.
　　　　punicea.
　　spinosissima. ♄.
　　sulphurea. ♄.
　　turbinata. ♄.
　　villosa. ♄.

ROSMARINUS officinalis.
　　　　latifol. ♄.
　　　　angustifol.
RUBIA tinctoria. ♃.

RUBUS caesius. ♄.　　RUBUS fruticosus. fl. pl.
　　Idaeus. ♄.　　　　　Idaeus. ♄.
　　　　　　　　　　†† laciniatus. ♄.
　　　　　　　　　　　occidentalis. ♄.
　　　　　　　　　　†† odoratus. ♄.

RUDBECKIA amplexifo-
　　　　lia. ☉. *
　　digitata. ♃.
　　laciniata.
　　purpurea. ♃.
RUELLIA patula. ♃.

RUMEX Acetosa. ♃.　　RUMEX Acetosa. ♃.
　　Acetosella. ♃.　　　alpinus. ♃.
　　crispus. ♃.　　　　Brittanica. ♃.
　　Hydrolapathum. ♃.　Lunaria. ♄.
　　maritimus. ♃.　　　nemorosus. ♂.
　　Nemolapathum. ♃.　scutatus. ♃.
　　obtusifolius.

RUSCUS aculeatus. ♄.
RUTA chalepensis. ♄.
　　graveolens. ♄.

S   S

SAGINA procumbens. ☉.
SAGITTARIA sagittifolia. ♃.

SALISBURIA adiantifolia. ♄.
SALIX aquatica. ♄. *Willd.*   SALIX (1) alba. ♄. *Willd.*
    N. 32.   *Enum. pl. ho r B. rol.*
repens. ♄. *Crom.*   ·N. 40.
    Willd. N. 25.   acutifolia. ♄. *W*. N. 10.
viminalis. ♄. *Willd.*   aquatica. ♄. *W*. N. 32.
    N. 36.   babilonica. ♄. *W* N. 14.
    bicolor. ♄. *W*. N. 21.
    candida ♄. *W* N. 39.
** caprea. ♄. *W* N. 33.
** fragilis. ♄. *W* N. 12.
fusca. ♄. *W* N. 24.
Helix. ♄. *W*. N. 16.
holosericea. ♄. *W*. N. 38.
laurina. ♄. *W*. N. 8.
mollissima. ♄. *W*. N. 37.
nigra ♄. *W*. N. 4.
** pentandra. ♄. *W*. N. 5.
praecox. ♄. *W*. N. 13.
purpurea. ♄. *W*. N 15.
rosmarinifolia. ♄. *W*.
    N. 26.
triandra. ♄. *W*. N. 1.
undulata. ♄. *W* N. 2.
** viminalis. ♄. *W*. N. 36.
** vitellina. ♄. *W*. N. 11.

SALVIA pratensis. ♃.   SALVIA aurea. ♄.
verticillata. ♃.   Aethiopis. ♂.
    Crom. (2)   campestris. ♃. ★
    caesia. ♄.

---

(1) Ich führe die No. der Arten nach *Willd. Enum. pl. hort. Berol.* wonach
jetzt hier vorläufig bestimmt sind, genau an, weil ich erst während
des Abdrucks *Seringe* getrocknete Weiden und dessen, *Essay d'une
Monographie des Saules de la Suisse* 1815 erhalte, und diese hier
besonders häufige und merkwürdige Gattung gern genauer prüfen,
und bei nächster Gelegenheit Bemerkungen über einige Arten derselben mittheilen werde.

(2) Ebenfalls nicht in *Kunth flor. berol.*

SAL-

SALVIA canariensis. ♄.
ceratophylloi-
des. ♂. *
clandestina. ♂.
coccinea. ♄.
disermas. ♃.
formosa. ♄.
grandiflora. ♄.
glutinosa. ♃.
hirsuta. ☉. *
hispanica. ☉.
interrupta. ♄.
lanceolata. ☉.
mexicana. ♃.
nutans. ♃.
oblongata. Vahl, *
officinalis. ♄.
paniculata. ♄.
pendula. ♃.
pseudococcinea. ♄.
sylvestris. ♃.
verticillata. ♃.
virgata. ♃.

SAMBUCUS Ebulus. ♃.
    Crom.
nigra. ♃.

SAMBUCUS Ebulus. ♃.
nigra. ♄.
    fruct virid.
    fol. varieg.
      laciniat.
pubens. ♄.
racemosa. ♄.
SANGUISORBA media.
SANTOLINA Chamaecypa-
    rissus. ♄.
viridis. ♄.
SAPONARIA officinalis. fl.
    pl. ♃.
SARACHA procumbens. ♃.
SATUREJA hortensis ☉.

SAXIFRAGA granulata. ♃.
tridactylides. ☉.
SCABIOSA arvensis. ♃.
Columbaria. ♃.
Succisa. ♃.

SAXIFRAGA crassifolia. ♃.
sarmentosa. ♃.
SCABIOSA alpina. ♄.
altissima ♄.
atropurpurea. ☉.
cretica ♄.

D

62

Wildwachs. Pflanzen.	Cultivirte Pflanzen.
	SCABIOSA stellata. ⊙. ✻
SCANDIX Anthriscus. ⊙.	SCANDIX Cerefolium. ⊙.
	odorata. ♃
	SCHKUHRIA abrotan-
	oides. ⊙. ✻
	SCILLA amoena. ♃
SCIRPUS acicularis. ♃.	SCIRPUS sylvaticus. ♃.
Baeothryon. ♃.	
Caricis. ♃.	
lacustris. ♃.	
palustris. ♃.	
sylvaticus. ♃.	
SCLERANTHUS annuus. ⊙.	
perennis. ♃.	
	SCOLOPENDRIUM offici-
	narum. ♃.
SCORZONERA rosea. ♃.	SCORZONERA hispani-
SCROPHULARIA aqua-	ca. ♃.
tica. ♃.	
nodosa. ♃.	
SCUTELLARIA galericu-	SCUTELLARIA albida. ♃. ★
lata. ♃.	pelegrina. ♃.
	SECALE cereale. ⊙. ♂.
SEDUM saxatile. ♃.	SEDUM Aizoon. ♃.
Crom. (1).	Anacampseros. ♃.
sexangulare. ♃.	dasyphyllum. ♃.
Telephium. ♃.	hybridum. ♃.
	populifolium. ♄.
	reflexum. ♃.
	Telephium. fl.
	purp. ♃.
SELINUM Carvifolia. ♃.	SELINUM decipiens. ♄.
	SEMPERVIVUM arachnoi-
	deum. ♃.
	arboreum. ♄.
	globiferum. ♃.
	tectorum. ♃.
SENECIO Jacobaea. ♃.	SENECIO Doria ♃.
paludosus. ♃.	elegans. ⊙. ♂. ★
sylvaticus. ⊙.	paludosus. ♃.
vulgaris. ⊙.	rupestris. ♃.
	saracenicus. ♃.

(1) Ebenf. nicht in *Kunth. flor Berol.*

Wildwachs. Pflanzen.	Cultivirte Pflanzen.
	SERIOLA aethnensis. ☉. *
SERRATULA arvensis. ♃.	SERRATULA coronata. ♃.
tinctoria. ♃.	
SESELI annuum. ♃.	
Crom. (1).	
venosum. ♃.	
Crom. (2).	
	SICYOS angulata. ☉.
	SIDA Abutilon. ☉. *
	angustifolia ♄. *
	Dilleniana. ☉. *
	grandifolia. ♄.
	hastata. ☉. *
	hernandicides. ♄.
	Napaea. ♃.
	nudiflora. ♄.
	parviflora. ☉. *
	rhombifolia. ♄. *
	spinosa. ☉. *
	triangularis. ☉. *
	triloba. ♄.
	vesicaria ♄.
	SIDERITIS canariensis. ♄. *
	cretica. ♄. *
	scordioides. ♃.
	SIEGESBECKIA orientalis. ☉.
baccifera. ♃. (3).	SILENE Armeria. ☉.
SILENE chlorantha. ♃.	baccifera. ♃.
noctiflora. ☉.	fruticosa. ♄.
Crom. (4).	gigantea. ♂.
nutans. ♃.	longiflora. ♃.
	orchidea. ☉.
	ornata. ♂.
	SILPHIUM connatum. ♃.
	perfoliatum. ♃.

(1. 2. 3 und 4.) Ebenf nicht in *Kunth flor. berol.*
(2). Diese durch *Crome* bemerkte Pflanze kenne ich noch nicht, ich werde sie an dem von ihm bemerkten Ort gelegentlich aufsuchen, da solcher ganz nahe liegt. Nach dem was ich vorläufig darüber nachgeschlagen, scheint man über diese Pflanze noch nicht einig zu sein.

SINAPIS alba. ⊙.
    arvensis. ⊙.
    nigra. ⊙. (1).
SISYMBRIUM amphi-
      bium. ⊙.
    Nasturtium. ♃.
    Sophia. ⊙.
    sylvestre. ☾.

SINAPIS alba. ⊙. ★
    foliosa. ⊙. ✳
    orientalis. ⊙. ✳
SISYMBRIUM Nastur-
      tium. ♃.
    strictissimum. ♃.

SISYRINCHIUM anceps. ♃.
    Bermudiana. ♃.
    striatum. ♃.

SIUM angustifolium. ♃.
    Falcaria. ♃.
    latifolium. ♃.
SOLANUM Dulcamara. ♄.
    — — laciniat.
    nigrum. ⊙.

SIUM Sisarum. ♃.

SOLANUM bonariense. ♃.
    coccineum. ♄.
    Dulcamara. ♄.
    fastigiatum. ♄.
    laciniatum. ♄.
    Lycopersicum. ⊙.
    marginatum. ♄.
    Melongena. ⊙. ✳
    Pseudocapsicum. ♄.
    sodomeum. ♄.
    tuberosum. ♃.

SOLIDAGO Virgaurea. ♃.

SOLIDAGO arguta. ♃.
    bicolor. ♃.
    caesia. ♃.
    canadensis. ♃.
    flexicaulis. ♃.
    laevigata. ♃.
    lanceolata. ♃.
    lateriflora. ♃.
    reflexa. ♃.
    rigida. ♃.
    serotina. ♃.
    Virgaurea. ♃.

SONCHUS arvensis. ⊙.
    asper. ⊙.
    oleraceus. ⊙.

SONCHUS fructicosus. ♄.
    palustris. ♃.

(1). Ebenf. nicht in *Kunth flor. berol.*

SOPHORA australis. ♄.
  japonica. ♄.
  microphylla. ♄.

SORBUS Aucuparia. ♄.   † † SORBUS Aucuparia ♄.
  † † hybrida. ♄.
SORGHUM bicolor. ☉. *
  rubens. ☉. *
  saccharatum. ☉.

SPARGANIUM ramo-
  sum. ♃.
  simplex. ♃.
SPARTIUM scoparium. ♄.   SPARTIUM junceum. ♄.
SPERGULA arvensis. ☉.   † SPERGULA arvensis. ☉. *
  nodosa. ♃.   pentandra. ☉.
  pentandra. ☉.
SPHAERIA Poronia. Crom.

SPILANTHUS oleraceus. ☉.
SPINACIA oleracea. ☉.
SPIRAEA Filipendula. ♃.   † † SPIRAEA acutifolia. ♄.
  Ulmaria. ♃.   alpina. ♄.
  Aruncus. ♃.
  † † chamaedrifolia. ♄.
  † † crenata. ♄.
  Filipendula. ♃.
  † † hypericifolia. ♄.
  † † laevigata. ♄.
  † † opulifolia. ♄.
  † † salicifolia. carnea. ♄.
  — — paniculata.
  † † sorbifolia. ♄.
  tomentosa. ♄.
  † † triloba. ♄.
  Ulmaria. fl. pl. ♃.
  † † ulmifolia. ♄.
STACHYS palustris. ♃.   STACHYS arvensis. ☉. *
  recta. ♃.   circinnata. ♃.
  sylvatica. ♃.   germanica. ♃.
  recta. ♃.
STAPELIA caespitosa. ♄.
  radiata. ♄.
  revoluta. ♄.
  variegata. ♄.
  + † STAPHYLEA pinnata ♄.

STAPHYLEA trifolia ♄.
STATICE Limonium. ♃.
    virgata. ♃.

STELLARIA graminea. ♃.
    palustris. ♃. (1).
STEREOCAULON pascha-
        le. *Crom.*

STEVIA Eupatoria. ♃. *
    ivaefolia. ♃.
    serrata. ♃. *

STIPA capillata. ♃. (2).
STRATIOTES Aloides. ♃.

STIPA capillata. ♃.

† † SYMPHORICARPOS
        vulgaris. ♄.

SYMPHYTUM officinale. ♃.

† † SYRINGA persica. ♄.
    † † vulgaris. ♄.

T

T

TAGETES erecta. ☉. *
    lucida. ♃.
    patula. ☉. *
TALINUM Anacampse-
        ros ♃.
    patens. ♄.
TAMARIX gallica. ♄.
TANACETUM vulgare.   ♃.
TARGIONIA hypophylla.
    Crom. (3).

TANACETUM vulgare.
        crisp. ♃.

TAXUS canadensis. ♄.

---

(1) *Crome* hat auch *St. crassifolia* angemerkt, ich überschlage solche
    aber hier, weil ich glaube dafs die mit meiner *St. palustris* die-
    selbe Pflanze ist; welches ich gelegentlich genauer untersuchen
    werde.
(2). Ebenfals nicht in *Kunth flor. berol.*
(3). Dieses seltne Pflänzchen entdeckte *Crome* zuerst auf hiesigen
    Gütern bey *Pritzhagen;* er zeigte mir gelegentlich den Ort, und
    ich habe es auch vorigen Sommer in Gesellschaft mehrerer Bo
    tanicker wieder gefunden, jedoch nur sparsam.

TETRAGONIA fruticosa. ♄.
TEUCRIUM betonicum. ♄.
    Botrys. ☉.
    Chamaedrys. ♃.
    flavum. ♄.
    fructicans. ♄.
    Marum. ♄.
    multiflorum. ♄.
    orientale. ♃. *
    Scorodonia. ♃.
    virginicum. ♃.

THALICTRUM · flavum. ♃,   TRALICTRUM aquilegifo-
   minus. ♃. *Crom.*   lium ♃.
    elatum. ♃.
    flavum. ♃.
    foetidum. ♃.
    majus. ♃.
    medium. ♃.
    minus. ♃.
    nutans. ♃.
    rugosum. ♃.
    sibiricum. ♃.

THLASPI arvense. ☉.   THLASPI saxatile. ☉. ♂. *
   Bursa pastoris. ☉.

    THRINCIA hispida. ☉. *
    THUJA occidentalis. ♄.
THYMUS Acinos. ☉.   THYMUS vulgaris. ♄.
   Serpyllum. ♄.

    TILIA alba. ♄.
      americana. ♄.
      parvifolia. ♄. *Hayne*
      pauciflora. ♄. *Hayne.*
      — glabra.
      — pubescens. ♄. (1).

---

(1). Von dieser *T. pauciflora. Hayne.* habe ich hier zwey verschiedene Arten bemerkt, an der einen sind die jungen Triebe unbe-
haart, an der andern hingegen sind die jungen Triebe und Blatt-
stiele stark behaart; ob diese nun Abarten oder zwey verschiedene
Species sind, wäre noch zu untersuchen: ich wollte im vergangenen
Sommer die Früchte beobachten, aber zu meinem Leidwesen haben
die hiesigen Bäume nur wenig Blüthem und gar keine Früchte ge-
tragen. Sollte ich künftig so glücklich sein vollkommene reife
Früchte zu erndten, so werde ich solche aussäen, wo sich dann
bald an den jungen Pflanzen zeigen wird, ob sie glatt oder
haarig werden wollen. Vielleicht zeigen auch die Früchte schon
eine merkliche Verschiedenheit.

TILIA vulgaris. ♄. *Hay*

TORMENTILLA erecta. ♃.
reptans. ♃.

TRACHELIUM coeru-
leum. ♃
TRADESCANTIA disco
lor ♃.
virginica. ♃.
TRAGOPOGON porri.
lius. ♂.
pratensis. ♂.
TREVIRANA coccinea.

TRICHOSTOMUM canes-
cens. *Crom.*
heterostichum. *Cr.*

TRIFOLIUM agrarium. ⊙.
alpestre. ♃.
arvense. ⊙.
campestre. ⊙.
filiforme. ⊙.
fragiferum. ♃.
hybridum. ♃.
medium. ♃. *Crom.*
montanum. ♃.
pratense. ♃.
procumbens. ⊙.
repens. ♃.
TRIGLOCHIN palustre. ♃.

TRIFOLIUM albidum.
alpestre. ♃.
† hybridum. ♃. *
incarnatum. ⊙.
pensylvanicum.
† pratense. ♃. *
† repens. ♃. ★
rubens. ♃.

TRIGONELLA Foenu
graecum.
TRILLIUM erectum. ♃
pendulum. ♃.

TRITICUM repens. ♃.

TRITICUM caninum. ♃.
compositum. ⊙
densiflorum. ♃
monococcon. ⊙
polonicum. ⊙.
repens. ♃.
sibiricum. ♃.

---

(1) Ueber diese Gattung siehe meine Bemerkungen über die
schiedenen Weitzenarten, mit Anmerkungen von *Crome*; in T
Annalen des Ackerbaues 10ter Band, oder 1809 zweyter 1
pag. 497.

TRITICUM Spelta. alba. ☉·•
— — nigra. ♂.
★ (1).
turgidum. ♂. ★
unioloides. ♃. ⁕
vulgare.
α aest. album. ☉. ★
rubrum. ☉. ⁕
β hybern. al-
bum. ♂. ⁕
rubrum. ♂. ★
? Zea. alba. ♂. ★ (2).
rubra. ♂. ★

TROLLIUS europaeus. ♃.   TROLLIUS europaeus. ♃.
TULIPA gesneriana. ♃.
sylvestris. ♃.

TURRITIS glabra. ♂.
hirsuta. ♂.
TUSSILAGO Farfara. ♃.   TUSSILAGO alba. ♃.
Petasites. β. hybri-
da. ♃. Crom.
TYPHA angustifolia. ♃.
latifolia. ♃.

U

U

ULMUS campestris. ♄.
effusa. ♄.

ULEX europaeus. ♄.
ULMUS americana. ♄.
campestris. ♄.
⁕⁕ effusa. ♄.

(1) Diesen schwarzen Spelz halte ich für eine neue Species (wenig-
stens ist mir keine Beschreibung davon bekannt) ; er wird im
Herbst mit den übrigen Wintergetreide gesäet, und bringt im fol-
genden Sommer eine reichliche Erndte. Die Aehrchen des weißen
Spelz sind glatt, hingegen bey diesem sind sie weichhaarig ;
ich habe diesen mehrere Jahre neben dem weißen Spelz gebauet,
und nie eine Ausartung bemerkt.
(2) Diese Spelzart, welche ich unter dem Nahmen *Dünckel* erhalten, ist,
glaube ich, *T. Zea?* welche (wenn ich nicht irre) *Host* abgebildet
hat. Da ich aber dieses Werk nicht zur Hand habe, so bin ich
zweifelhaft : Eine eigene Species ist es gewiß.

Wildwachs. Pflanzen.	Cultivirte Pflanzen.
	UlMUS suberosa ♄.
	UNIOLA latifolia. ♃.
URTICA dioica. ♃.	URTICA canadensis. ♃.
urens. ☉.	cannabina. ♃.
	pilulifera. ☉. *
UTRICULARIA vulgaris. ♃.	

V

V

VACCINIUM Myrtillus. ♄.	
Oxycoccos. ♄.	
Vitis idaea. ♄.	
	VALANTIA cruciata. ♃.
VALERIANA dioica. ♃.	VALERIANA Phu. ♃.
officinalis. ♃.	rubra. ♃. *
	VELTHEIMIA sarmen-
	tosa. ♃.
	Uvaria. ♃.
	viridiflora. ♃.
	VERATRUM nigrum. ♃.
VERBASCUM Lychnitis. ♃.	VERBASCUM nigrum. ♃.
nigrum. ♃.	
Thapsus. ♂.	
VERBENA officinalis. ♃.	VERBENA bonariensis. ♃.
	bracteosa. ♃. *
	hastata. ♃.
	triphylla. ♄.
	urticifolia. ♃.
	VERBESINA alata. ♃.
VERONICA agrestis. ☉.	VERONICA arguta. ♃.
Anagallis. ♃.	australis. ♃.

In den Handelsverzeichnissen findet man eine Menge Getreide-
arten, mit Nahmen aus allen Welttheilen, ich habe mir Saamen von
so vielen Arten als ich nur habhaft werden konnte, zu verschaffen
gesucht, aber bis jetzt nichts neues für den Botaniker herausfinden
können, als vorstehendes: So habe ich unter andern einmal 11.
schreibe *Eilf* verschieden sein sollende, Roggen - Arten gebauet,
und nichts weiter als *Secale cereale* geerndtet.

VERONICA arvensis. ⊙.
    Beccabunga. ♃.
    Chamaedrys. ♃.
    hederifolia. ⊙·
    latifolia. ♃.
    officinalis. ♃.
    praecox. ⊙.
    serpillifolia. ♃.
    spicata. ♃.
    triphyllos. ⊙.
    verna. ⊙·

VIBURNUM Opulus. ♄·

VICIA angustifolia. ⊙.
    cassubica. ♃.
    Cracca. ♃.
    lathyroides. ⊙.
    sepium. ♃.

VIOLA canina. ♃.
    hirta. ♃.
    montana.♃.*Crom.*(1)
    odorata. ♃.
    tricolor.
VISCUM album. ♄.

VERONICA elatior. ♃.
    foliosa. ♃.
    longifolia.
    media. ♃.
    neglecta. ♃.
    sibirica. ♃.
    spicata. ♃.
    virginica. ♃.

VESTIA lycioides. ♄.

†† VIBURNUM Lantana. ♄.
   †† Opulus. ♄.
    roseum.
    prunifolium. ♄.
    Tinus. ♄.
VICIA articulata. ⊙. *
    biennis. ♂.
    Faba. ⊙. *
    narbonensis. ⊙. *
    pisiformis. ♃.
    sativa. ⊙. *
    serratifolia. ⊙. ♂.

VINCA minor. ♄.
    fol. varieg.
    rosea. ♃.
VIOLA cucullata. ♃.
    hirta. ♃.
    montana. ♃.
    odorata. ♃.
    tricolor. ⊙.

VITEX Agnus cas-
       tus ♄·
VITIS hederacea. ♄·
    Labrusca. ♄.
    laciniosa. ♄.
    vinifera. ♄.
    sylvestris.
    vulpina. ♄.
VOLKAMERIA inermis. ♄.

(1) Ebenfals nicht in *Kunth flor. ber.*